Aberdeenshire Library and Information Service
www.aberdeenshire.gov.uk/libraries
Renewals Hotline 01224 661511

Mount

Pleasant

Ye canna say a thing that's new
However hard ye try,
Ye can but tak' the thing that's aul'
An' say't anither wye.

Ecclesiastes 1 v. 9 and 10

X2 BUC

Cover photo:
"The Bliss of Solitude."

Published by
Peter Buchan, ''Mount Pleasant'', Harbour Street, Peterhead

© Peter Buchan 1961
First Edition 1961
Second Edition 1966
Third Edition 1971
Fourth Edition 1977
Fifth Edition 1983
Reprinted 1983

Printed by
P. Scrogie Ltd., 13-17 Chapel Street, Peterhead

Contents

Preface

Picture if you can a band of barefoot boys, ten to twelve years of age, every one of them in short trousers because nobody wears lang breeks until they are at least fifteen. Note in particular their home-knitted jerseys which proclaim to all and sundry that these are fisher loons, and should you notice that one of the group is wearing a "bocht" jersey, you can be sure that this boy is "different" in that his Da doesn't go to sea. His Da might be a postie or an insurance mannie or a baker or a carter and this unfortunate circumstance makes him a "toonser" who, while perfectly acceptable as a playmate, is nevertheless in some indefinable way "nae the same", even though he may be quite closely related to other members of the Group.

See this penniless mixter-maxter of youth forsake their natural habitat, the rocky foreshore with its restless tides and its flotsam and jetsam, the salty pools with their buckies and their bandies, the piles of rotting tangles which stink horribly in the summer sun and the great spread of snow-white salted fish laid out to dry on the warm granite. Behold the young heroes setting out to explore the hinterland of their native town and imagine their amazement when they discover, some two miles from the harbour, the delights of Inverugie.

Not one castle but two, with dungeons forbye. Not only trees but primroses by the river side. Not only a river but mid-stream islands linked to each other and to the banks by narrow plank bridges.

And to crown it all, high on the summit of a steep grassy rise richly carpeted with "pinkies" behold a long garden dyke of granite — a dyke with "kirk-windows" in it. Peep through one of the windows if the shutter is open and see the bonniest gardens the young ragamuffins have ever seen — old fashioned flowers with old fashioned names in an old fashioned setting. It must be Paradise; it certainly cannot be real.

This is Mount Pleasant, overlooking a scene of pastoral beauty almost unique in the treeless Buchan landscape; a veritable oasis in a desert. This is a scene and this is a day never to be forgotten by one of the youngsters, one with a home-knitted jersey, and here you may find the answer to the oft repeated question "Why Mount Pleasant?"

Introduction

I have never had any desire to scale the heights of literary fame, neither have I sought to emulate or even imitate any other writer. I have simply attempted to write, from time to time, some verses which might bring pleasure to my ain folk, the fisher community of the North-East, whose constant demands for more have almost convinced me that, in some small measure, I have been successful.

The fact that some of my work has delighted such exalted people as foreign University Professors and U.S. Admirals has been an added bonus, but I derive the deepest pleasure from the knowledge that my simple verses are now in everyday use in the local schools. This is reward indeed — an accolade which I never even dreamed was possible.

In the pages of this little book, you will meet some of the folk with whom I have rubbed shoulders on my chequered pathway, from the golden years of my bare-foot boyhood to the sunset days of Senior Citizenship.

Of course these characters are all in disguise, and the name of the game is "Guess Who?" In their failings and their frailties you may possibly see some of your own. You will certainly see some of mine.

It is also possible that some of the pages may lead your thoughts back over many years. I have heard it said, (and I like the saying) that "God gave us memory that we might have roses in December."

I do hope you enjoy your roses.

PETER BUCHAN

August, 1983

MOUNT PLEASANT

There is a place my eager feet
   Were wont to seek when I was young;
Mount Pleasant! Is there name as sweet
   In any tongue?

Frail primroses, with timid eyes,
   Remembering the vanished snow,
Peeped forth, to view with sweet surprise
   The stream below.

There April sun and April rain,
   Fair sisters of the singing breeze
Wrought hand in hand, to clothe again
   The leafless trees.

And oh! the joy on golden days,
   When summer reigned in robes of green
To see, a-shimmer in the haze
   The lovely scene.

The quilted fields, the gardens bright
   With many tinted summer flowers
O happy place of pure delight
   And sunny hours.

1

The old grey bridge, the lazy stream
The ivy-covered castle wall
The lark's clear, lilting joyous theme
Above it all.

But Autumn wore the fairest gown
And bore, thro' fields of tawny sheaves,
Her vivid shades of red and brown
To stain the leaves.

Alas her stay was all too brief,
This maiden with the auburn hair,
Her passing left the world in grief
And grey despair.

The child is gone who watched so well
The fleeting seasons come and go.
His shadow cannot catch the spell
Of long ago.

KIRKYARD RAIN

I'm thinking back on Davy—
　　He'd aye his ain luck!
Wi' canny speed he'd forge aheid
　　Tho' ither folk were stuck.
When better men than Davy
　　Could get nae fish ava
The cod wid steer for Davy's gear
　　An' gie themsel's awa'

But lat's be fair to Davy—
　　It wisna' Davy's blame
That tempest wild lay meek an' mild
　　Till Davy had won hame.
An' tho' ye'll 'gree that Davy
　　Had better luck than maist,
Ye'd surely say this very day,
　　"We kent it couldna laist!"

Weel! here to bury Davy
　　There's mair than half the fleet,
A teemin' sky — still Davy's dry
　　But we're a' dreepin' weet!

THE BUCHAN CLAN

I've read aboot the gallant clans that shine in Scotland's name—
McFlannels and a lot o' ither Macs o' equal fame,
But it surely is a peety that we nivver see a jot
Aboot the famous Buchan clan, the foremost o' the lot.

Altho' they are a weel-kent tribe, their origins are dark.
An' yet 'tis said THE Buchan wis the mate on Noah's Ark.
He fechtit sair wi' Noah till he got a weekly wage
Syne fechtit mair for stoker and put Noah in a rage,
He girned aboot the grub bill and the awfu' price o' coal
Till Noah shivved him ower the side, for mair he couldna thole.

He swam aboot for fourteen days until the sea gid doon,
A fortnicht! Aye, a fortnicht, he wis ower coorse tae droon!
He landed sair forfochen at a place ca'd Almanythie,
Far he wed a bonnie lassie fae the Mains o' Kittlie-hythie,
An' plantit there a faimly tree 'at grew at sic a speed,
That verra seen they built a toon an' ca'd it Peterheid.

In coorse o' time, like ither folk, the aul' man met 'is death,
Some say it wis the mirrles, but I think 'twas want o' breath.
Wi' broken herts they beerit him aside the aul' "Oo Mull,"
Syne hurried hame to fecht aboot the wordin' o' the wull.
There was a fearsome stashie and the family splut in three—
I'll tell ye a' aboot them if ye'll only lat me be.

The main branch, that's the Pirates, sattl'd doon at Rottra Heid
Far they made a canny livin' in a wye that wisna gweed,
For they plunder't ivery wreck that cam' to grief aroon' 'at coast,
An' wisn't it a funny thing that ilka crew wis lost?

4

But the biggin' o' the Lichthoose fairly spiled their bonny game,
An' the hale jing-bang o' blackgairds hid to flit an' leave their hame,
They came to Buchanhaven, far the Ugie meets the sea,
Tho' some socht Burnhaven, far there wis a breweree.

Ye'll meet their wild descendants fae North Rona to the Well,
Fae Barra to the Bergen and fae Flogie to the Bell,
Fin herrin' seek the Knowle grun's, they're like to hae a birst,
An' the war-cry on their fivvered lips is "Men wi' gear first!"

The second branch wis tinkies, and they gid aboot wi' packs,
An' they made a bonny profit aff o' safety preens and tacks,
Till competition drove them fae the country to the toon
Far ye'll see the Tinkie Buchans yet, if only ye'll look roon.

They hiv their representatives in a' the different trades
An' ye'll ken them by the packmark in atween their shooder blades;
Ye winna recognise them if ye dinna see the mark.
But they tell me that they dinna shift their claes unless it's dark.

The third branch was the Royals, and they're few and far atween,
An' the world wid be a better place supposin' there wis neen,
For they're the folk that like to think they're better than the lave.
An' they cairry that opinion fae the cradle to the grave.

They say, "My goodness gracious" far the lave say, "Govey Dicks,"
An' they say they're chopping firewood fin they're only brakin' sticks,
But still-an'-on for a' their fauts, t'wid be a cryin' shame,
To brand them waur than ither folk that hae a different name.

Altho' yer name's nae Buchan, if ye come fae Peterheid,
It's surely mair gin likely ye've a drap o' Buchan bleed,
For the Buchans thro' the centuries, for better or for waur,
Hae mairrit into ither tribes till gweed kens fit ye are,
Ye're a Pirate, or a Tinkie, or a Royal in yer pride,
Or ye're come o' aul' man Noah, that shivved Buchan ower the side.

NAE THE SAME

I spoke 'til a freen at the shore the day,
Man, he wis unco-like an' grey,
Dytin' aboot like a half-shut knife
An' vooin' oot at the ills o' life.
"Things is nae the same," says he
"Nae the same as they eesed t' be."

Girnin' sair at the wintry blast,
Mindin' on Paradise lang, lang past-
Saut fish dryin' on sunny braes
The bleachin' greens an' the spotless claes.
"The wither's nae the same," says he.
"Nae so fine as it eesed t' be."

"Look at the fearsome price o' coal—
It's mair than the pension's fit to thole,
An', Lord, I near gid throwe the reef
Fin I heard the price o' a pun' o' beef.
"Things is nae the same," says he,
"Nae so chaip as they eesed t' be."

"An' fit div ye get fae the doctor chiels?
A line for a pucklie o' fancy peels!
Yalla eens if ye canna sleep,
Pink if yer sark tail cracks like a wheep.
"Medicine's nae the same," says he,
"A mixter's a thing ye nivver see!"

He rantit on 'til my head wis sair,
I steed 'til I couldna thole nae mair.
"Ye're awa?" says he. "I'm awa! says I,
"But I'll tell ye this in the passin' by—
"Wi a hantle mair ye're jist like me,
Nae so young as ye eesed t' be."

THE OOTLIN

Geordie MacPhee had a humph on his back,
A wart on his nose an' a cast in ae e'e,
The set o' his beens made him shooder-the-win',
An' his legs gid a bittie agley at the knee.
Aye! Geordie wis ill shooken up an' slack tied;
He hirpled aboot like a bird wi' ae wing.
Tho' beauty an' fortun' had baith passed him by
Yet Geordie had this; — man he fairly could sing.

He sang like a lintie the "Rose o' Tralee"
Or "Drink to me only" or "Bonny Strathyre,"
He'd sing the Messiah an' sing't fae the hert
Tho' deil the sowl socht him to sing in the choir.
The aul' sangs o' Zion cam' sweet fae his lips,
An' him wi a body so twisted an' bent.
He sang o' the pangs o' the Aul Rugged Cross
An' some that were listenin' thocht surely he kent.

The soles o' his sheen aye gid flappity-flap;
His stockin's, aye marless, had seldom a heel,
At oxter an' elbow he nott a bit string
An' his brix could ha' deen wi an owergaun as weel.
The mitherless ootlin had nivver a lass—
The quines leuch at Geordie, peer orra-like thing;
But spite o them a' he'd a star in his sky,
The bairns likit Geordie for Geordie could sing.

He sang o' yon Bairn that wis born hine awa';
The Bairn that had naething, like Geordie himsel',
He sang aboot shepherds an' wise men forbye,
An' angels that cam' the sweet story to tell.
He sang hoo the Bairn, at the end o' his days,
Wis a chiel that had nails in his han's an' his feet.
He sang o' the day fin we'll a' be made hale,
An' fit could a body dee ither than greet?

Fin Geordie gid up to yon gates made o' pearl
Aul' Peter said, "Geordie, man come awa ben!
Your hoosie's a' ready—we've watched ye this fyle;
Ye've heen a sair trauchle doon there amon' men.
An' noo that it's finished ye'll just sattle in
For a' that ye're needin' ye'll get fae the King,
Syne efter ye're restit, I'll gie ye a job,
A job to your likin'! Aye! Geordie ye'll sing!"

If ever ye traivel the pavement up there
Ye'll get a begick man, for there at your feet
The gold that men worship, an' fecht for, an' steal
Is counted fine stuffie for sortin' the street.
Ye'll tramp aboot gapin' at mansion an' ha',
An' siccan a hantle o' ferlies ye'll see!
But mak' for the Square fin ye hear the choir sing
An' there he'll be tapster. Faa? Geordie McPhee!

8

BEST O' THE BUNCH

Best-o'-the-Bunch has a curly heid
  An' rosy cheeks an' a lach in her e'e;
An' sweet are the lips so bonny reid
  Fin they're held up wi' a kiss to me.

I canna tell if she misses me
  On days fin my work tak's me awa;
But I ken that it's fine to come hame fae the sea
  An' hear my Best-o'-the-Bunch say "Da!"

Since she was born it seems like a day;
  Noo Best-o'-the-Bunch'll seen be three
Wi' a gift that only a queen should hae—
  The power to command a slave — that's me.

THE AUL' CANNON

Fin I wis just a toddlin' bairn, the aul' men eesed to gaither
Upon the Cannon summer seats an' sit a' nicht an' blether;
I likit fine to hear their crack o' lang forgotten ploys,
Their proticks an' their capers fin they themselves were boys

An' if my barfit, scartit legs grew weary, tired o' stannin',
I'd climb up owre the roosty wheel and sit astride the Cannon.
The aul' men they wid lauch at me, but neen o' them wid froon,
An' some o' them wid clap my knee and speir "Fa echts ye Loon?"

For aul' clay pipe an' box o' spunks in pooches deep they'd howk;
The rick fae their black Bogie Roll gey nearly gart me cowk.
Syne, bairn-like, I'd worry them wi' question an' back-speirin',
An' lookin' back I canna say I ivver heard them sweerin'.

The fearsome tales they spun to me on earth had ne'er an equal;
If they're in Aul' Nick's han's the day there's sure to be a sequel.
There wis ae big grey-bearded man; it wis his joy and glory
To lift me aff the Cannon an' recite a ghostie story.

Syne fin his eerie tale was deen my wee scared heid he clappit,
But fin I cuddled doon that nicht that heid wis gey weel happit,
Wi' tales o' warlocks fierce an' wild he nearly jeeled my bleed;
I'm sure my scared e'en wis big as bowls o' potted heid.

But files their tales were full o' fun to rid my hert o' fear,
An' ilka ane wid try to see fa wis the biggest leear;
That their great binders wis the truth I nivver had a doot,
The biggest lees ye ivver heard they stood an' shieled them oot.

10

Fin I look back I hae a lauch at some o' their best lees—
To think a man could rin so far as wear his feet till's knees;
The giant fluke that ae man catched an' fed the toon upon it,
Its een as big as bunker lids, its spots as big's yer bonnet.

But noo the times have changed, ye ken, the Cannon's teen awa',
And thereaboots there's nae a cratur to be seen ava;
But still I hope fin I grow aul' I'll get my ain turn
To clap a loonie on the heid an' spin as big a yarn.

Photo reproduced by kind permission from Neish's "Old Peterhead".

11

BUCHANHAVEN SHORIE

There's a canny leethe fae the sou'wast win'
    At the fitt o' the middle street,
In the neuk at the back o' the gairden dyke,
    Far a lang, low widden seat
Looks oot owre the pier an' the half-sunk rocks
    Wi' their skirts o' dark-broon weed,
To the bonny sweep o' yalla san'
    An' the licht at Rattray Heid.

It's a canny leethe, an' it's there ye'll see
    At the close o' a simmer's day,
When the tang o' the sun-dried waur on the beach
    Comes stealin' up the brae,
The aul' men gaitherin' roon' aboot
    For a smoke, an' a yarn forbye,
As they watch the ships fade oot o' sicht
    Owre the hazy line o' sky.

There's mair than een wi' their carpets on,
    An' there micht be a staff or twa;
Tho' the fuskered race, wi' the cheese-cutter caips
    Are maistly worn awa'.
There's twa-three mair wi' their han's-weel dug
    In the taps o' their hair-back brix,
An' the antrin een that wants the pipe
    Has a chow in his 'lastic chix.

An' there, while the sun shines through the nets
    That hing fae the dryin' poles,
They yarn as they sit on their corner seat
    Or lean on the drawn-up yoles.
An' fit's a' the topic? Jist stan' tee,
    For they'll seen forget ye're there,
An' ye'll hear the tale o' a poachin' ploy
    For a reid-fish or a hare.

Aul' Donald fills his mischauchled pipe
  Wi' the silver knob on its doup,
An' spins a yarn o' the happy days
  When the flukes in Scotston Houp
Were spear deep, an' the haddocks cam'
To the verra watter mou';
Syne ends his tale wi' a shak' o's heid—
  "It's a different story noo!"

Ye'll hear hoo the weemen lang lang seen
  Could cairry the heavy creel;
An' ilka een in the but an' ben
  Had to redd or bait or sheel;
Hoo the young quines gaed to the mussel scaup
  On a bitin' winter's morn,
An' gaithered bait fae the frozen lochs
  Till their dirlin' han's were torn.

The Author's great-grandparents

13

Ye'll hear aboot distant sailboat days
　　Fin they gaed to Baltasoun'
In the zulu boats wi' their p'inted starns,
　　An' the scaphs so blunt an' roon'.
Hoo the drifters cam' wi' their pooer an' speed
　　An' ruled the sea supreme.
Till the motor boats, tho' poor at first
　　Wrote an end to the days o' steam.

An' names crop up that ye hear nae mair
　　Tho' bonny names they are—
"Sweet Promise," "Hope" an' "Star of Faith."
　　"Bydand," an' "Guiding Star,"
An' so, in the 'oor or twa ye've stood
　　On the Buchanhaven Shorie
Ye've covered sixty 'ear an' mair
　　In the aul' men's grippin' story.

An' man, tho' ye've nivver said a word,
　　They'll say they've enjoyed yer crack;
An' syne fin ye leave to warstle hame —
　　"Gweed nicht an' hist ye back!"

LEEBIE

I couldna spell, I couldna coont past twinty,
Nor could I read unless the words were sma',
I couldna name the highest hill in England,
For maps were things for hingin' on the wa',
I couldna mind a date nor place a battle,
And so I was "The girl who was no use
For any earthly purpose whatsoever!"
So said yon primpit craitur, young Miss Bruce.

The years hae flown, the aul'er aye the faster,
The kings and queens, the battles are forgot,
I've kent this fyle the highest hill in England,
Tho' learnin-wise I hinna gained a lot.
But I've my man an' fower bonny bairnies,
A happy hame far some folk has a Hoose;
An' sometimes, when I think hoo I've been guided,
I greet for yon peer craitur, aul' Miss Bruce.

THE HAPPY MAN

It's an airish kind o' mornin', wi' the sky jist growin' grey,
An' there's twa-three black-like shooers up t' norrit.
I'm skipper for the meenit for the mannie's at his tay,
An' he's nivver in a hurry comin' forrit.
We're nae lang deen a-haulin', an' I'm happy as a lark,
An' I widna change my place wi' ony man.
It's Setterday, sweet Setterday, it's nae this week we "bark",
An' we're set awa' for hame wi' ninety cran.

The boys are in the cabin, crackin' jokes an' tellin' lees,
An' the air'll be as thick as brose wi' rick;
There's naething like a joog o' tay, a sheave o' loaf an' cheese
For makkin' weary men' buck up an' spik.
They'll hae to start directly for we got an awkward haul,
An' we had to haul them in abeen the han'.
The reddin' up's the warst o't if yer han's are deid wi' caul,
An' it tak's a fylie's time wi' ninety cran.

Accordin' to the wireless news they're spotty-kind the day,
An' mair than half the fleet has neen ava.
Still, that'll pit the price up. "That's a selfish thocht," ye'll say,
But that's the herrin' fishin' efter a'.
There's some that wid condemn my joy wi' chapter, verse an' line,
An' preach aboot the sinfu' greed o' man;
But, still-an-on, fin herrin's scarce it thrills this hert o' mine
To strick a bonny shot like ninety cran.

There's some that's nae contintit till she winna hud nae mair —
   They maun be made o' stuff that's affa teuch.
I've hauled an rived 'is mornin' till my shooder heids are sair,
   An' I think that ninety ony day's eneuch.
My face is thick wi' spawn an' scales, my lips are stiff wi' saut,
   An' I feel as if my een wis full o' san'.
There's ragnails on my fingers, but they dinna hae a faut,
   For we're makin' for the shore wi ninety cran.

Noo here's the skipper comin' so I'll dodge awa' doon aift,
   An' I only hope the tay's been keepit het.
I winna feel so cheery if there's nae a drappie left,
Tho' it's seldom that the Cookie dis forget.
I'm tired, an weet, an' hungry, but I'm happy as the lark,
   An' I widna change my place wi' ony man.
It's Setterday, sweet Setterday, we dinna need to "bark",
   An' she's gaun full butt for hame wi' ninety cran.

SHIFT O' WIN'
(Conversation Piece)

Watch—	"Hey Jock! Watch oh!
	'S twal' o' clock!"
Reply—	"Right oh!
	"Hoo's e' win'?"
Watch—	"Nor'-wast,
	Mak' 'e tay — ee're last!"

Watch—	"Hey, Skipper!"
Skipper—	"Fit noo?"
Watch—	"Sky's as black's a wolf's mou'!"
Skipper—	"Hoo's e' win'?"
Watch—	"South-east."
Skipper—	"Govey-dick; fit neist?"

Skipper—   "Ho-ro lads, turn oot
    glances Seems 'e win's geen roon aboot!
    Gless's teen an aafa fa'.
    Think we'd better haul awa'!"

Cook—   "Gaun to sea's nae eese;
    Sure as daith there's nae peace;
    This is jist a job for feels,
    We'd be better twistin' dreels."

Note: Cleveland Twist Drill opened factory in Peterhead in 1956.

18

DIV YE MIND

Ye mind yon times when we were bairns?
 The happy careless days?
We'd traivel up the water-side
 An' clim' the Pinkie Braes,
As cheery an' as hardy as a caravan o' tinkies,
 Contented if we got a bunch o' bonny yalla pinkies,
For us the vexin' things in life
 Were things like whin-bush prickles,
An' dogs that barkit ower lood.
 An' coos — an jobby nickles.

Ye mind the bonny simmer nichts
 When a' the loons gid dookin',
An' nae a stitch o' claes upon's
 Nae maitter fa wis lookin'?
We shivered as we drew oor breeks up ower our hardy knees,
 An' stowed awa' the linners that were flappin' in the breeze.
Syne aff we'd rin across the rocks
 An' mak' for some wee shoppie
To buy a luckie tattie
 Or a maikst o' treacle toffee.

Ye mind the simmer holidays —
 The bonny sunny wither?
The tar cam' up atween oor taes
 An' stuck them close thegither.
We played aboot the curin' yards amon' the roosin' tubs,
 An' splashed through lochs o' pickle bree an' seas o' sappy dubs.
We likit aye the reckless thing
 Cos mithers widna hear o't,
An' only ran an eerin
 If we couldna weel get clear o't.

An' even in the winter days,
   When wild north winds were blawin',
Altho' oor knees were blue wi' caul',
   We'd wish that it wis snawin',
We'd showd upon the battens if the timmer boat was in,
   An' licht oor stave-built hoosie wi' a can'le in a tin.
An' there the bigger loons amon's
   Wid mak' a wily plan
To fecht the Queenie Arabs
   Or some ither war-like clan.

Ye mind yon day ye witless breet
   Ye stole yon quinie's ba?
An' thinkin' ye wid mak' her greet
   Ye took her lames an' a'?
She wisna muckle aul'er when she twined ye roon her cranny,
   An' if she gied ye half a smile, ye thocht ye wis "the mannie",
Her game o' playin' lairies
   Wi' a huskle lost its joy,
An' verra seen she had yer hert
   To play wi' like a toy.

An' noo the happy, careless days
   Are oot o' sicht astarn;
But still-an'-on ye'll hae yer thochts—
   Aye! mony-a-time aswarn.
The feet that eence were free and bare hae come a weary road,
   The shooders that oor schoolbags kent hae borne a heavy load.
The future may seem drear and dark,
   The present soor and wauch;
We dinna ken fit lies ahead,
   So lat's look back — an' lauch.

GENESIS

Lo! the Ark wis nearly ready an' the water risin' fast
   When Noah called a meetin' o' his clan;
"Listen Shem an' Ham an' Japheth, ye're a young an' willin' squad,
   But I'm thinkin' that we need anither man!

We're a crew o' country billies, an' altho' we've built a ship,
   Ye'll agree that nae a soul has been afloat,
So we need a fishin' skipper that's been steepit lang in saut,
   Aye! a chiel that kens his wye aboot a boat.

Ye'll be busy wi' the beasties in the darkness doon below,
   An' it's nae a twa-three heid o' Heilan' kye,
For there's elephants an' camels, an' there's kangaroos an' goats
   Raivelt up wi' yaks and' polar bears forbye.

Noo, as lang's the shippie's steady ye'll aye manage to keep tee,
   But if storms arise an' seas come ower the starn,
She'll be showdin' up an' doon an' roun' an' if ye miss your fit
   Ye'll ging skitin' ben the pass among the sharn.

So we need a heid that's steady, an' we need a fit that's sure,
   An' a hert that winna greet for sicht o' lan';
A prodeegious navigator wi' a compass in his heid
   An' my lads I think I ken the verra man.

Ging ye ben the shore for Buchan; Ham, ye ken faar Buchan bides.
   He'll be sittin' buskin' fishies in his cave!
Wi' his taes among the shunners an' his hunkers on a kist,
   Watchin' Maggie-Annie scrubbin' like a slave.

Noo ye'd better tak' a can'le for his lobby's afa dark,
  If ye dinna watch ye'll tum'le doon the hole
Faar he keeps his lugget bonnet an' his rippers an' his beets,
  Hinging' up abeen the saut-fish an' the coal.

When ye reach the inner chamber ye'll tak' aff your greasy caip,
  For he's royal an' he likes to get his place;
So ye'll stan' as stracht's a ramrod an' say "Mister Buchan, sir"
  An' ye'll see the gleam o' pride licht up his face.

He'll say, "Hoo's your father deein'? Is your mither keepin' weel?
  Is't the case your peer aul' grunnie's growin' blin?
Is your deydie fartin' firmer since he drank yon clort o' stuff
  That he got fae Doctor Hanok for the win'?"

Then ye'll gi'e him ceevil answer, state your business, lat him think —
  If he's suppered he'll be riftin' like a Turk —
It's an officer we're needin', a commander, mak' it clear,
  For there's ae thing loon, ye darna mention work.

Oh! he'll hum an' hae a fylie, but ye'll sense that he's fine pleased
  Tho' he winna gi'e ye answer aiven oot;
Na, he'll ha'e to tell ye something o' his history, jist to prove
  He's the leader we require withoot a doot.

So ye'll hear hoo Sherpa Tensing, yon intrepid mountaineer,
  Wi' Sir Hilary hard sloggin' in his track,
Wis but fifty feet fae glory fin he got a fearsome fricht,
  He came face to face wi' Buchan comin' back!

22

Buchan crossed the tropic ocean on a pair o' bakin' boards,
 An' he slew the great sea-serpent wi' a spike;
He was frozen in for fourteen 'ear on Greenland's icy coast,
 Noo the Yakkies there greet strangers wi' "Fit like?"

He'll discourse on ony subject, for he's read a book or twa,
 An' he'll tear the present government to bits;
Aye! ye'll learn a lot fae Buchan but the fastest thing ye'll learn
 Is to jouk aside a bittie fin he spits.

But we need his canny counsel an' his knowledge vast and wide,
 For, my loons, I dinna ken aboot the sea,
Ye can offer him tobacca and an antrin tot o' rum
 If he'll only pass his word to sail wi' me."

"Wyte!" says Japheth, "Da, ca canny, it wid be a cryin' shame
 To pit Ham along the shore in a' this rain,
Fit's the eese o' gaun for Buchan? 'twid be just a waste o' time,
 For the sinner has a boatie o' his ain."

Noo then, Japheth, for his impudence, wis sent along the shore,
 Shem and Ham were kept at hame the work to dee;
Late that nicht came Buchan's answer, in a Ministerial note,
 "I'll be doon the back o' Sunday. Yours, P.B."

SUMMER DAWN

Cool, clear air with the wind from the west
   Breathing a hint of rain,
Ruffling the cornfield's golden tresses
   And smoothing them out again.

Quiet gleam of the sleeping bay;
   Furrows on firm wet sand;
Clean fresh tang of the brown wrack mingling
   With the soft sweet breath of the land.

Lapping of water round the old stone pier
   And the sound of simple things;
The plaintive cry of a lonely gull,
   And the beat of questing wings.

WHERE THERE'S LIFE

"Fit like are 'ee the day?" says I.
Til a freen I've kent since days gone by.

"Weel noo!" says he an' he draws his breath,
"I've been this fyle at the door o' death!
Ye'll mind last 'ear I took the flu?
Weel, I'm only gettin' the back o't noo,
But it's teen a gey sair pick, ye'll see,
For I'm lantered noo wi' a cockle 'e'e.
There's inflammation in my jints,
So I canna boo doon to tie my pints,
An' if I try't my bubbly nose,
Begins to skite like a gairden hose,
An' afore I get pooer to gie't a dicht,
It jist rins dry an it bungs up ticht.
Syne that affects my peer aul heid,
An' it lies on my shooders like a lump o' leed,
So ye'll see my loon (an he stoppit for breath),
Jist fit it's like at the door o' death!
I'm bothered fyles wi' my water tee,
An' its twinty times a day, ye see,
It's nae neen handy tho' it's nae ower sair,
But ye ken oor bathroom's up the stair.
My bowels hisna meeved for a fyle,
So I doot it's back to the castor ile,
An' that itsel's nae fine, ye ken,
For ye canna get peace for a meenit on en'.
Like the atom boom it works on the dot,
So I'm up the stairs like a mountain goat!
Ye speir at me 'Fit like? That's feel'!
Ye can surely see that I'm nae neen weel!"

"There's nae muckle wrang wi' yer sicht!" says I.
As he eyed a deem that wis passin' by.

25

THE SKIPPER'S WIFE

Jock, neist door, has a score o' cran,
    But yer father hisna neen.
They say there's a hantle o' herrin' tee,
    So far can the gowk hae been?
He'll seen be hame wi's foul black face,
    An' he'll look for mait, 'at's mair.
An' he'll fidge an' pech an' he'll grunt an' blaw
    Like a bear fin its belly's sair,
He'll hae to be deein' wi' pottet heid
    Tho' its nae jist ower sair jeeled.
"Anither tattie or twa," did ye say?
    "Na, we'll just chap the thing 'at's peeled";
It's a gey sair fecht, an' it's true aneuch
    The wordle's ill-pairtit for some o's;
It's time he wis gettin' a shottie noo
    Or it's gweed kens fit'll come o's.

Jock, neist door, has a cran or twa,
    But yer father's a hunner and twinty!
Hing in noo quine! Rin for fillet steak,
    An' be sure m'dear ye get plinty,
An' ye'll sort it richt wi' a fine fresh egg
    An' a bonny hame-made chip;
An' ye'd better cry-tee for a curran' dad
    For he disna get that in the ship.
Is there plinty o' watter het noo quine?
    He'll be yirdit wi' scales an' saut.
If he starts t' sing like the Rattra' horn,
    Jist dinna say it's a faut.
He's a richt smairt man yer father, quine,
    There's fyowe on the coast to beat 'im,
I think I'll pit on my Sunday hat
    An' ging doon on the pier to meet 'im.

HAIRY TATTIES

Bring me a ling fae the Viking Bank,
A tusk fae the Patch or the Reef,
Or catch me a cod on the Buchan coast
An' I'll greet nae mair for beef.
Steep her in saut for a three-fower days
Then dry her slow in the sun
In the month o' May, when the safter win's
Bring the green growth up thro' the grun'.

Bring me a bile o' the finest Pinks
Fae a craft on Mormon' Braes,
At the tail o' the hairst, when the first fite frost
Tells a tale o' winter days.
Peel them an' bile in a fine big pot
Wi' my bonny fish in anither;
Bree them baith when ye think they're richt,
Then ye'll chap them baith thegither.

A knottie o' butter an' a glaiss o' milk—
Ye've a feast that's weel worth a Grace;
Then waste nae a meenit as ye fill your speen
An' stap it into your face.
Bring me a tusk fae the Patch or the Reef—
Fae the Viking Bank. a ling;
Or catch me a cod on the Buchan coast
Then I ken I'll dine like a king.

CRAIGEWAN

Pace-aiggs bricht on the yalla san'
  In the pale clear sun o' Spring.
Young heids bent in a kysie search
  'Mong the rocks far limpets cling.
Lang fine days wi' their happy ploys,
  An' bare feet rinnin' free;
The lilt o' win' throu' wavin' girss,
  An' the strong clear call o' the sea.

Lad-'n-lass traivlin' airm-in-airm,
  Owre the bents on a simmer's nicht,
Sweir t'ging hame, like a' their kind,
  Tho' the sun's lang oot o' sicht.
The cry o' a whaup at the watter-mou',
  An' the smell o' the tangle-bree;
The whisper o' win' throu' quiverin' girss,
  An' the low saft sang o' the sea.

Oot-win, caul wi the threat o' rain,
  Or it micht be wi' grey sea fog.
An' fa's on the bare grey bents the day
  But an aul' grey man wi's dog.
Traivlin' the aul' paths, hearin' soun's
  O' the days that eesed t'be
In the sough o' win' throu' shiverin' girss,
  An' the dreary dirge o' the sea.

SAINT LUKE 3 VERSE 11

"Had 'ee twa richt gran' hooses, Dod,
Wi' carpets wa' to wa',
Wi' double glazin', central heat
An' curtains fite as sna'.
Wi' fancy lichties at the door
An' gairdens green an' fine—
Ye widna see me bidin'
In a place just fit for swine?"

"Had I twa richt gran' hooses, Tam,
An' 'ee had neen ava
Wi' richt gweed-wull I'd lat ye pick
The better o' the twa.
An' there ye'd sit rent free for life,
At my expense ye'd dine,
Nae thocht o' want wid furr' your broo,
Your cares wid a' be mine."

"Had 'ee twa richt fine motors, Dod,
Wi' automatic gears,
Wi' fartin' horns an' flashin' lichts
An' seats like easy cheers.
Wi' polished wid an' silver knobs—
Ye nivver saw the like—
Ye widna see me lantered
Wi' an aul' deen roosty bike?"

"Had I twa richt fine motors, Tam,
An' 'ee had neen ava,
Wi' richt gweed wull I'd gar ye tak'
The better o' the twa.
Syne fa' like hiz, in a' the toon?
Fine motors, fancy biggins!
I'd help ye tak' yer roosty bike
An' dump it owre the diggins."

29

"Had 'ee twa richt fine rippers, Dod,
Weel buskit, clean an' bricht,
The thing to tak' a codlin's 'ee
At th' income o' daylicht.
Ye widna see me fishless
For the want o' heuks an' leed,
An' me wi' fourteen bairnies
An' a nae-weel wife to feed?"

"O I hae twa fine rippers, Tam,
An' forty mair forbye,
An' ripper strings an' ither things
That ee're nae fit to buy.
But this religion's gaun ower far;
Ye've geen clean gyte the day,
Ye're nae supposed to seek a share
O something that I hae!"

"A' richt noo Dod, I'll lat ye be
Wi' a' the gear ye hae,
Hing in noo, tak' the gweed o't a',
But mind there comes a day,
Fin up the Toon-hoose stairs ye'll clim',
(Fit gars ye think ye winna?)
To hear the Maister seek the fruits
O something that ye hinna."

BUCHAN BEAUTY

Have you seen the mighty flail
Of the roaring north-east gale
Drive the billows to destruction
On the rocks at Buchan Ness?
Have you seen the sunlit waters
'Tween the Geddle and the Outers
With the wavelets dancing brightly
To the off-shore wind's caress?

Have you seen the peaceful sight,
On a windless summer night,
Of Dutch boats snug at anchor,
All a-mirrored in the bay—
While their crews, with their quaint patches,
Long cheroots, and bright-hued matches,
Joined the Lewismen on Broad street
Just to hear the "Army" play?

Have you seen the silver gleam
Of the Ugie's placid stream
In the gloamin', by the Collieburn,
Where bright-eyed lovers go?
Do you know each pool and stone
From Craigewan to the Roan,
Each rock, each nook and cranny,
From the Peel to Craig-na-bo?

Have you seen the rich ripe corn
On a clear September morn,
Near the Howe o' Buchan, ready
For the binding of the sheaves?
Ay! and Richmond's golden broom,
Inverugie's hawthorn bloom,
And Ravenscraig's bright rowans
'Mid the rustling dark green leaves.

If to you these scenes are dear,
If your memory holds them clear
As a photograph before you,
Tho' parted far from home;
If this rugged, wind-swept part
Of Auld Scotia grips your heart,
Yours and mine are kindred spirits
No matter where we roam.

YE WIDNA BE SELLT!
(For a Special Day)

Were I a poet, lass o' mine,
　I'd snare the crescent moon
An' set it in a bonny line
　To ryhme wi' rose in June;
The proper bard pits flooers an' birds
　In sangs o' love, that's true,
But lass, I dinna ha'e the words
　To say sic things to you!

Were I to whisper "Precious heart!"
　Ye'd think I wisna weel!
Or, did I mention Cupid's dart,
　Ye'd say "Ye great aul' feel!"
A fancy card I micht ha' bocht—
　'Twid been an easier plan,
But lass, ye're worth a sweeter thocht
　Than verse that's second-han'.

For mony a year, for mony a mile
　We've sodjered on the gither;
Could words that made oor bairnies smile
　Nae still delight their mither?
Then harken close my sonsie lass—
　Fit better could I tell ye?
"Tho' moons an' Junes awa' may pass
　Ye ken I widna sell ye!"

Note—"Ye widna be sellt for a thoosan powen!"
An endearment normally reserved for the bairns.

33

THE CHOICE

Were I but young an' feel again—
　An' that can hardly be,
I'd like to mak' a change or twa;
　I widna seek the sea.
Could I but pick an' chyse again
　I'd tramp anither road,
An' keep my fit weel plantit
　On the firm dry sod.

Could I but pick an' chyse again,
　I'd like a wiser heid,
Then in the ups an' doons o' life
　I micht come mair speed;
But were I at the start again
　An' tellt ae choice was mine,
It's land or sea I'd taikle—
　Wi' the same aul' quine.

BROTHERLY LOVE

Ye ken the kind o' some folk—
    They like to get their place,
Content wi' verra little
    If their neeper man has less.
An' tho' they had a fortin',
    It wid hurt them afa sair
To think some ither body
    Micht hae jist a bittie mair.

Ye ken the kind o' some folk—
    Ye'll meet them ilka day.
Their ivery thocht's clean conter
    To fit ye hear them say.
Their words are sweet as honey
    But their herts are black as coal;
To see their neeper gettin' on—
    That's mair than they can thole.

Ye ken the kind o' some folk—
    They'd like to claim the sea.
Their share o' loving kindness
    Widna full a budgie's e'e.
The love of cod constraineth them
    To work wi' craft and guile
To chase their neeper aff the sea
    An' pit 'im in the jile.

We canna a' be perfect;
    I'm nae ower gweed masel;
But Aul' Nick has for some folk
    A special place in Hell,
An' says, as on their firie
    He piles anither log—
"The mair I see o' some folk
    The better I like my dog."

THE PEEL

Twa-three heukies in his ganjey;
  In his pooch a penny line,
Or, could he nae raise a penny,
  It micht be some barkit twine.

Owre the Queenie Brig, this loonie
  Watched a chance to scran his bait,
Far the gutters teemed their coggies,
  Jist inside some curer's gate.

Syne across the rocks he'd warstle;
  Loons were there fae far and near,
Shyvin' oot their hame-made linies,
  Aften raivelt, seldom clear.

O' the happy 'oors he'd spend there,
  Blithe an' cheery, young an' feel;
Jist a barfit, careless cratur,
  Catchin' podlies in the Peel.

Dinna speir at me "Fa wis he?"
  That's a thing I couldna tell.
Steek yer een an' think a fylie—
  Could he nae ha' been yersel?

HERRIN' FIVVER

Had we but steered oot east-by-north
Instead o' east-nord-east,
We micht a' heen the biggest shot
Instead o' haein' least.

Had we but geen the thirty mile
Instead o' thirty-twa,
We micht' a' gotten twinty cran
Instead o' neen ava.

It widna rankle jist so bad
Could we get neeper's fare,
But seein' ither folk wi' shots
Fair mak's yer belly sair.

I'm thinkin' that we've met the cat;
She's surely been a bummer!
At scalders, dogs and bare black yarn
We've teen a proper scunner.

There's cure for ills that smit the hert,
The kidneys or the liver;
But doctors canna help ye if
Ye tak' the herrin' fivver.

It brings nae pain this strange disease,
But man it's hard to thole.
A cran-the-net's the only cure—
Or else a sax-fit hole.

THE HUMBLE DOOR

Lord, I've been readin' in the Beuk
Aboot yon bonny place—
The gates o' pearl, the paths a-shine
Wi' gold as clear as glaiss.
The crystal river flowin' close
Along the bonny street,
Faar trees o' healin' cast their leaves
Aboot a boddy's feet.
I hope it's jist a pictur', Lord,
For yon's nae place for me,
A chiel that's spent his mortal days
Close-oxtered wi' the sea.
I canna see mysel' in fite;
The harp I canna play;
I'd mak' a shape at singin'
But I couldna sing aa day!
I'd need to leave the likes o' that
To better folk than me—
The multitude that ging aboot
Wi' naething else to dee
But ficher wi' their harps o' gold
An' tune their vocal cords
For singin' in the heavenly choir
"The Glory is the Lord's."
I doot that mine, in sic a throng
Wid be an ootlin's face—
A daisy on a perfect green.
A megrim among plaice.

The palaces an' mansions
Wid be ower gran' for me,
I'd rather hae a quaet neuk,
A hoosie near the sea
Wi' five-an-twinty ripper codlins
Dryin' at the door;
A clinker-biggit Fifie yoll
Drawn up along the shore.
Then, maybe, some fine quaet nicht
When, deeved wi' aa the soon'
Ye're lookin' for a meenit's peace,
Ye'll tak' a turnie doon,
An' there we'll sit afore the door
The pair o's, You an' me,
An' ait a roas'en fishie
As Ye did in Galilee.
We'll sit a fyle an' news a fyle
As evenin' wears awa'
Syne, could it be I'll unnerstan'
Fit wye I'm there ava?

An', — should Ye hae a meenit spare
To grace my butt-an'-ben,
Grant that I'll hear Ye welcomed there
By somebody I ken.

DRIFTING

Grey October,
  Motion rinnin' high;
Full moon bleezin'
  Thro' a raggit sky;
Nord-east win'
  An' plinty o't at that
Drifters seekin' Yarmouth
  Thro' the Cockle Gat;
Cargie-load for Yarmouth
  Thro' the Cockle Gat.

Sou'-wast stiffener
  Fusslin' doon the Minch;
Drifters punchin',
  Fechtin' ivery inch;
Caul' bleak winter,
  Mountains fite wi' sna';
Wheelhouse windas broken,
  Mizzens blawn awa';
Drifters seekin' shelter
  In canny Stornowa'.

Springtime, line time,
  Trees in bonny leaf;
Smoke trails on the Viking,
  Drifters on the Reef.
East side, wast side,
  Seekin' sair for bait;
Haulin', tyauvin',
  Halibut an' skate.
"Market's teen a drap,
  Ye're jist a day ower late."

Lang days, fine days,
　　Herrin' time awyte,
Time for the farlin'
　　The futtle and the cwite.
Drifters seekin',
　　Fog, or rain, or shine.
Surface veins,
　　O' th' oceans' silver mine.
Drifters seekin' herrin'
　　Fae the Shetlan's to the Tyne.

Still grey gloamin'
　　Thocht o' days lang seen;
Weel kent picters
　　Clear on memory's screen.
Lean times, gweed times,
　　Coorse an' bonny days;
Noo the final chapter
　　Opens to the gaze.
Drifters lyin' broken
　　On the silent braes.

"Red Sky" PD 25— Skipper, "Glore's Dick"

SILLER

O siller's like a fairy wand;
It smoothes a steenie road;
It opens doors that ticht were shut
An' lifts a weary load.
Aye! siller's sic a pleasant thing
We're maistly seekin' mair o't,
An' few there be that widna' tak'
A bigger fairer share o't.

But siller's like the sauty sea —
It slakes the drouth at first,
But aye as deeper dips the speen
The stronger grows the thirst.

O siller's sic a precious thing
In time o' stress we flee till't,
An' some, for want o' better gods,
Wid bow the very knee till't,
For siller Judas sell't his Lord —
Wis ever bargain poorer?
The ready cash in greedy niv
Made retribution surer.

O siller's like the sauty sea,
Faar boats an' men are lost,
For aye as deeper dips the speen
The steeper grows the cost.

O siller's like a sinkin' san'
For a' the bonny glint o't.
The honest man's sair made to stan'
Fin eence he gets the scint o't,
"If siller be the loaf o' life
Lat's hae a muckle sheave o't,
An' be it mair than we can chaw
The mair we'll hae to leave o't."

But siller's like the sauty sea
Faar tide spins magic web,
For nivver wis there yet a flood
Withoot there came an ebb.

THE DIFFERENCE

He's nae kirk-greedy—
He can hardly pass a pub,
It's nae a pint he's fond o',
It's a suppie in a tub.
He likes to back a horsie
An' I ken he tak's a lass,
An' some would shak' their heids to see
That Jock's at sic a pass.

He's nae neen bigsy
An' he'll help ye if he can,
He'd rather dee in poverty
Than swick his fellow-man.
I ken he wastes gweed siller,
But there's aye a bob or twa
To spare for folk that's stairvin',
Be they here or hine awa'.

I'm nae lang heidit
But I'm thinkin' that I see
The unimportant difference
Atween aul' Jock an' me.
It's surely this — when we ging oot
To meet the Judge Divine,
The sins that Jock'll answer for
Are nae the same as mine.

A TIME TO GET

They tell me, loon ye've left the school;
   Ye'd like to try the sea.
Your mither's sent ye doon the road
   To seek advice fae me?
She micht a' socht some better chiel
   To keep her loonie richt
But sit ye doon; I'll dee my best
   To shed a bittie licht
On paths that dark afore ye lie
   If fishin' be your aim
Syne if some day ye rue the start
   Ye'll hae yersel' to blame.

tied up

Ye'll lowse the rope, a cocky chiel,
   Gran' notions in your heid.
Afore ye're oot o' sicht o' lan'
   Ye'll wish that ye wis deed,
For sickness disna pick an chyse; _chose_
   It lays the mighty low.
Ye'll lie an' shiver on the deck
   Nae fit to ging below.
"If only she wid bide at peace"!
   But that can nivver be
Ye've left the steady lan' astarn
   An' noo ye're on the sea.

But that'll wear awa' come time;
   Ye'll learn to keep your feet.
Ye'll walk the deck as deil-may-care
   As if it were the street.
Till some coorse day she'll tak' a lump
   An' then ye'll get a scare!
Ye'll sweel aboot the scuppers - _part of boat._
   An' ye'll learn the lesson there
That nae sometimes, but a' the time
   Ye need a wary e'e.
Ye've left the steady lan' astarn
   An' noo ye're on the sea.

A growin' loon, a workin' loon
  Ye'll aye cry oot for mait, *meat*
An' then ye'll learn the secret knack
  O' keepin't in your plate.
The table's showdin' up an' doon,
  It's reelin' back an' fore
An' tattie soup taks queer-like tigs *tasted*
  It nivver took ashore.
High broadside motion nivver moved
  Your mither's kitchen fleer —
But that was in the steady world
  Ye've left upon the pier.

      chavin awa
Ye'll learn to tyauve along wi' men,
  Ye'll work the clock aroon'.
Ye'll rise afore the summer sun,
  Ye'll see him beddit doon.
Come winter an' ye'll get a taste
  O' lang nichts black wi' sleet.
The bitter, bitin', cruel caul
  Wid gar a buddy greet. *cry*
The time'll come ye'd sell your sowl
  For twa sweet 'oors o' sleep.
when you finish up The lowsin' times for folk ashore
  Are eeseless on the deep. *useless*
    No such thing!

As time wears on ye'll see the sichts
  Ye'd nivver see on lan'.
There's beauty in the wilderness
  An' wisdom in the plan
O' calm an' storm, o' flood an' ebb;
  For a'thing there's a reason.
The ocean, like the fruitful earth,
  Has everything in season.
"A time to plant and a time to reap"
  Suits fairmin' to the letter;
"A time to get and a time to lose"
  Would fit the fishin' better.

A year or twa, my bonny loon,
  An' then ye'll be a man,
Weel worth a place in ony crew,
  An' fit to turn your han'
To ony job your trade requires
  Wi' needle or wi' knife;
As gweed, ye'll think, as plenty that's
  Been at it a' their life.
In time o' want—an' come it will,
  Ye'll think the skipper's feel;
Ye'd mak' a better job yersel'
  Could 'ee but get the wheel.

If you live!

Gin 'ee be spared an' weel, my loon
  Ye'll get the chance ana'.
In your domain ye'll be the king—
  Ye'll hae the thocht o't a!
Is't north or sooth, is't aff or on? *net (trawles)—*
  Is't line or drift or seine?
Ye'll hum an' hae an' claw your pow
  But answer maun be gi'en.
An' gin ye're aftener richt than wrang
  Ye'll be a lucky man,
But richt or wrang aye keep in mind
  Ye've men's lives in your han'.

Ye ken yersel' sun moon an' star
  Are seldom seen the gither.
An' so it is wi' shots o' fish,
  Gweed prices, bonny wither.
There's aye a something wantin' loon,
  Ye'll seldom get the three,
An' mony a time ye'll tell yersel'
  That een o' them wid dee.
"A time to plant and a time to reap"
  Suits fairmin' to the letter
"A time to get and a time to lose"
  Would fit the fishin' better.

Ye're young an' strong, ye're quick an' keen
   Nae doot ye'll tak' your share.
I dinna think ye'll be a feel
   That wither disna scare.
'Gainst wind and wave, the biggest boat's
   A verra sma' defence.
A lot that looks like iron nerves
   Is just the want o' sense.
But common sense wi' patience mixed
   Will help ye guide the wheel.
I think, come time ye'll learn them baith,
   Gweed-nicht. I wish ye weel.

SHIFTIN' THE CLOCK

The clock's geen back an' it's early dark
So I'd better look oot my flannen sark,
An' then, wi' the first o' the winter haars
I'll ha'e a rake for my worsit draars.

Lord! fin ye thocht t' fashion me
Could ye nae ha'e changed the recipe
So that, like craiters o' a lower state,
I micht ha'e been able to hibernate?

MEDICINAL PURPOSES

"Daavit! Faar's yon bonny bottlie
That we bocht in Peterheid
Jist in case some caul' coorse mornin'
Een o's took a sair heid?

Mind ye said ye'd keep it siccar
Neth your pilla oot o sicht,
Jist for fear some drunken decky
Took a swig o't thro' the nicht?

Daavit man, wi' caul' I'm shakkin',
Yet I'm in a bog o' swytel
Want o' foosion in my legs
Wid gar me fear I'll seen faa clyte!

Daavit! Hear my belly rummlin';
Sure as daith I'm richt nae-weel.
Could I only sniff the cork
A hantle better I wid feel!

Daavit! Dinna lie there sleepin';
Rise an' gie's a drappie noo
For I see the Longstone flashin'
Clear upon the starboard boo."

"Jock! I dinna like to tell ye!
Jock, my loon, the bottlie's teem,
For I took a fearsome hoast
When Buchan Ness was close abeam!"

N.B. Peterhead to Longstone Light — 113 miles
    Peterhead to Buchan Ness — 1½ miles

THE FIFTY FOOTER'S PRAYER

Lord, fin the gales o' winter blaw
  An' sough across the grumlie sea,
There's fyles I gie my pow a claw
  An' winner fit's to come o' me.
The glaiss is doon at sudden death,
The sky's fair hingin' doon wi' drift,
An' tho' I'm sweir to leave my hame
It seems I'll hae to mak' a shift.

I ken there's fish at ninety mile,
  But Lord, that's ower far awa',
They're little eese to me oot there!
  Ye ken my boatie's ower sma'!
Lord, shift them to the Buchan Deep
  Or nearer, if it suit Your will,
An' should they reach the Castle Hard,
  Lord, that wid be far better still,

I ken an antrin codlin' wags
  Its tail along Belhelvie Beach,
But since by law I shouldna poach
  Ye've sent them jist beyond my reach.
They're that far in, the fairmer folk
  Could catch them wi' a horse an' gig,
They're little eese to me in there,
  Ye ken my boatie's ower big.

O shift them aff a bittie, Lord,
  But keep them far the boddim's saft,
An' then I'll get a box or twa
  In waters that'll suit my craft.
But dinna send them ower thick,
  It widna dee to hae them chaip,
As lang's Ye keep the water sma'
  I'll be content wi' jist a scrape.

Ye ken I'm nae yon kind o' chiel
  That likes things a' his ain wye,
I'm only thinkin' oot a plan
  That You may a' my need supply.
An' fit aboot the sattle-up?
  I think we'll pairt like ither men,
For You a bittie o' the praise,
  For me the shinin' cash! Amen.

STORMY BANK

I'm tired and weary, lookin'
At the coiler-spoots gaun roon,
Fae brak' o' sky till gloaming brings release,
The water's sma', the tide's a' richt,
The sun's jist beatin' doon,
An' yet I canna get a meenit's peace.

As seen as it comes denner time,
An' there's a chance, at last,
To satisfy the hungry inner man.
As sure as daith the cry gets up
"Ho-ro now lads, she's fast!"
So it's up on deck again as quick's ye can.

It's been the same for twa-three days
Baith in the deep an' shaul;
A satchel full o' dogs at ilka drag,
An' should we miss the dogs an' huds,
An' get a clear haul,
It's ten to one we'd get a lockit bag.

There's shoutin' on the wireless
That wid deeve yer verra heid
Fae them that canna get their nets to come;
There's plenty information gien
Fin folk's nae comin' speed
But them that's gettin' on are singin' dumb.

I hear the drifters sayin'
That there's herrin' in the Minch,
An' heavy shots in Kyle an' Stornowa',
But still, afore we got oor nets
An' altered a' the winch
I'm certain sure the brutes wid be awa'.

It's fine to hae the skipper's job
If luck signs on as mate,
For then ye're ca'd an eident, clivver chiel.
But should that mate desert ye, weel,
The job's nae jist so great,
For then ye're ca'd an eident eeseless feel.

Hech aye! I'll hae to stick it
Wi' the greet within my throat;
They say the road's gey lang that disna bend.
It's time there wis a turnin',
But there's nae appearance o't,
An' I wish this weary trip wis at an end.

THE INCOMER

Sandy Todd was the biggest chiel
  That ivver trod this earth;
He was come o' a rovin' tinkie tribe
  Fae the foreign side o' Perth.
He was broad in the beam like a garage door,
  An' I'm sure he was nine-foot-three
The day he came North for a job at the ile
  An' to bide next door to me.

Sandy Todd was the strongest man
  I'd ever seen in my life
An' the things he could dee wi's great muckle han's
  Fair mesmerised the wife.
He could fire a steen as far as the meen,
  He could haaver a tree in twa,
An' to cairry coal a ton at a time
  Was jist nae bother ava.
He could lift a fathom o' railway line
  An' bend it ower his knee;
Noo the wife thinks she was thrown awa'
  When she mairried a dreep like me.

Sandy Todd was the finest cook
  That ever steered a pot:
He could taikle a ten course jamboree
  An' master-mind the lot.
His beef-steak pies won a special prize
  This year at the Turra Show,
When a certain firm sent a spy to steal
  The secrets o' his dough.
But he widna stoop to tattie soup
  Or stovers or potted heid,
For that was grub ye could get in a pub
  Wi' folk o' a lesser breed.
His damson tart was a work of art
  That thousands came to see;
Noo the wife thinks she's been thrown awa'
  On an eesless lump like me.

Sandy Todd was the smairtest chiel
That ever yet drew breath;
He could ficher wi' ony mortal thing
Fae marzipan to claith.
He could sort a slate, or hing a gate,
Or alter a slidin' door.
He carved a statue o' Robbie Burns
Fae wid washen up on the shore.
There wisna a job in a' this earth
That Sandy couldna dee;
Noo the wife thinks she's been thrown awa'
On a warriedrag like me.

Sandy Todd was the best kent chiel
This toon has ever seen;
He was fine acquaint wi' the Prince o' Wales,
An' Liz was his name for the Queen.
He expressed the hope he would meet the Pope
Again, when he went to Rome,
An' he tellt me his country residence
Was as big as the Parish Home.
He collieshangied wi' Arab sheiks
An' ithers o' high degree;
Noo the wife jist disna ken fit wye
She bides wi' the likes o' me.

But there's been a change this day or twa;
A change, I think, for the better.
I'm expectin' the bobbies doon the nicht
Wi' a special kind o' letter.
For noo it's me that's the smairtest chiel
That ever yet was born;
I stuck a knife in Sandy Todd
An' he's buryin' the morn.

Sandy Todd's real name will be divulged when his next-of-kin have been informed.

55

GALE WARNING

Hear the oft repeated tale—
  "Fresh-to-strong soon reaching gale,
Wintry showers of sleet and hail
  Spreading from the west."
Ragged clouds of sombre grey,
  Mourners of the dying day,
Ride the winds that tear the spray
  From each snarling crest.

Darkness falls, the wild sky clears,
  Crystal bright each star appears,
While the Merry Dancer's spears
  Cleave the bitter north.
Now the banshee sea-wind raves
  O'er her host of maddened slaves;
She, the mistress of the waves,
  Drives her minions forth.

See, from out the eerie night,
  Roaring demons plumed in white
Hurl their weight with cruel spite,
  O'er the weather rail,
Seeking in their wrath to deal
  Blows that make our stout bark reel,
Tortured sore from truck to keel
  'Neath their awful flail

While the slow hours onward creep,
  Weary eyes their vigil keep.
Aching limbs that long for sleep,
  Peace nor respite find.
Hearts that fear can seldom move
  Hope, with breaking day, to prove—
"Even tho' the earth remove
  Providence is kind."

THE KISTIE O' GOLD

The year that Cripple Kirsty deet
There cam' a fearsome breeze —
South-east, near han' a month it blew;
Ye nivver saw sic seas.
The heid o' Buchanhaven pier
Wis oot o' sicht for days,
An' froth lay foamin' five fit deep
Along the Geddle Braes.
The sheep in Johnny Mattha's parks
Wis maistly smored wi' sna';
Syne on the fourteenth day o' Mairch,
The wither eased awa'.

Neist mornin', twa fine strappin' chiels
Set oot along the san',
To see fit micht be lyin' there
Fae Provdence's han';
For Famine's breath wis on the peen
An' Want wis at the door,
Aye chappin' lood! Aye! looder
Than he'd ivver deen afore.
They wydit owre the water-mou
Syne strode along the san';
The bits o' broken timmer there
The only sign o' man.
Like Crusoe in a byegone day
They viewed a desert beach,
Wi' tangle piled on tangle heap
As far as sicht could reach.
Abeen their heids the taariks skirled,
Their ilka note a greet,
An' a' the time the surly sea
Wis sweelin' roon' their feet.
They rypit ilka hole an' bore
Aboot Craigewan's braes,
Faar bairnies gaither kysies
On the bonny summer days;
But naething there save orra stuff

Among the washen steens—
A box or twa, a broken oar
An' twa-three bits o' beens
That had been in some distant day
The timmers o' a whale;
A figure-head, a shivered spar,
A strip o' tattered sail.

So north a bit, an' further,
An' along by Jenny's Burn,
An' ilka heap o' raivelt waur
Got aye an overturn
For, twa-three days afore, a ship
Had struck on Scotston Heid,
A mile or twa or fully mair
Richt north fae Peterheid.
Her crew, a puckle foreigners
Fae sooth o' Aiberdeen,
Had perished in the fearful gale
For neen wis ivver seen.
But there on Scotston's rocky shore
An' Kirton's bonny san's
Lay spread the bounty fae the wreck.
Twa pairs o' willin' han's
Began to pick an' chyse an' lay
Aside the best o't a'.
The legs o' ham, the casks o' rum
An' linen fite as sna',
A fortin, aye a fortin scattered
There amon' the rocks,
An' then, half happit wi' the waur
They spied a bonny box!
A half a faddom lang it wis
An' made o' foreign wid,
Wi' lock an' hinges made o' brass
An' carvin' on the lid.

They left the ham, they left the rum.
(On ae cask had they yokit.)
They took the bonny widden kist
An' wi a steen they broke it.

Then twa fine chiels, sair teen aback,
Stood petrified wi' shock,
For there afore their verra een,
Their poverty to mock
A proper pirate's moggan lay
To human view laid bare;
A mint o' bonny sovereigns,
Twa hunner-wecht an' mair.

Says Daavit, fin his breath came back,
"We'd better leave the ham,
An' surely ae gweed cask wid dee
To gie's an antrin dram.
But this gryte heap o' siller's
In a kist athoot a name,
So we'll haaver't throwe the middle
Could we eence but get it hame!"
Says Jock "To cairry't owre the san'
Wid rax a buddy's hairt.
We'd better tak it to the road
An' pit it on a cairt.
Still, Mains is sure to winner
If we cairry't throwe his park
So, it micht be best to plunk it
An' come back for't fin it's dark!"

"Na, na!" says Daavit, "nivver een!"
"At dark I'll nae be here,
For darkness brings the ghosties oot
Wi' ither things that's queer!
On nichts as dark's yer oxter pooch
They roam the bents an' howes.
I've heard the fearsome skirls they gie,
An' Jock! they're jist nae mowse!
We'll tak' the kistie up the brae
An' beery't oot o' sicht,
Syne come for't wi' John Baird's cairt
As seen as it grows licht!"

They ruggit it an' tuggit it
An' got it up the brae;
They happit it an' clappit it
An' there the kistie lay
Wi' twa-three faul o' knotted girss
To mark the secret spot,
An' twa fine hams gid hame instead
To fill the hungry pot.

At brak o' sky they yokit,
An' altho' they rakit sair
The nestie had been hairried
An' the kistie wisna there.
'Twis efter dark o' clock afore
Their weemin heard them come,
The cairtie load wi' wobs o' claith,
An' hams, an' casks o' rum.
The pairtin took a fylie, syne
The baith o' them gid hame,
But efter that their friendliness
Wis nivver jist the same.

Noo tell me this, if tell ye can
Tho tell ye maybe winna!
Fit wye has Daavit's folk been blest
Fin Jock's peer folk jist hinna?
Ye ken that Daavit's wife wis cleyed
In silks an' bonny tartans
Fin Jock's peer lass wis wearin' rags
An' dinin' high on partans',
As time gid bye, to Daavit cam'
Baith boats an' gear an' a,
Tho Jock, peer sowl, wis gled to tak'
A job to shuffle sna'.
An' so its been doon throwe the years—
Atween the generations
There grows a gulf aye wider, like
The difference in their stations.
The Scriptur' says "To him that hath
It shall again be given"
Faa got the kist? Ye'd like to ken?
Ye micht be tellt in Heaven!

Fisher wives (about 1900) ferry their men to the beach to keep them dry shod.

Looking into Peterhead Harbour entrance about 1900

An old Fifie boat. Spot the barefoot boy

Yarmouth about 1935. 1,000 boats form a queue for entry

Yarmouth River Entrance — Wind against Tide.

Circa 1925

Circa 1925

A stranger in the port
Note the dwellings on Keith Inch

Sunday morning at the old Fishmarket

"Off to shoot a fleet o' lines"
Note the stockpile of blocks for the North Breakwater

Botany Village at Rattray Head.
(Now defunct) Several fisher families have their roots here.

Peterhead lifeboat answers a "Mayday" call

Peterhead Bay in the 1980s.

Sparkling Star— Today.

KIRSTY

Her mither wis a guttin' quine
That vrocht wi' Sandy Wid.
Her father wis a canny sowl
An' a' he iver did
Wis scutter oot an' in at hame
Wi' twa-three string o' line.
An' gey sair made they were at times
To please their only quine.

Twis Kirsty this an' Kirsty that
An' Kirsty's needin' sheen!
An' Kirsty's darlin' sheenikies
Maun come fae Aiberdeen.
The verra sark upon her back
Wis sent for, hine awa.
For common dab fae Peterheid
Jist widna dee ava!

Her brithers could rin barfit
As they plowtered doon the braes,
But Kirsty aye nott fancy gear
To hap her ten'er taes.
The loons, like aa the ither loons
Had patches on their docks,
But nivver smaad nor patch wis seen
On Kirsty's bonny frocks.

In coorse o' time they aa grew up;
The loons they socht the sea.
But Kirsty, she did naething,
Like a deem o' high degree.
A silly gypit craitur
Needin' aathing on a plate —
The siller that wis spent on her
Wis sairer nott for mait!

The Gutting Quine, and the Cooper—Note the handknitted jerseys

She widna gut a herrin'
An' a mask she couldna shue
For Kirsty was a lady
An' she thocht her bleed wis blue.
Her satin han's were ower fine
To blaud wi' nets or fish,
But jist the verra dunt
For puttin' dahlias in a dish.

She married, twa-three simmers back,
A quaet decent chiel.
He's nivver aff the watter
An' I hear he's deein' weel.
He'll need to keep the shippie gaun
To ply his Kirsty quine
Wi' her sets o' Doulton idols
In their gran' formica shrine.

She's socht ye to your supper?
Weel! I'm sure ye'll get a feed!
Ye'll spend a pleasant evenin', lass,
But dinna loss the heid
An' mention in the bye gaun —
Twid be naisty if ye did —
That her mither wis a guttin' quine
That vrocht wi' Sandy Wid.

FISHER BLUE

Jock an' Daavit bocht a shippie,
Changed her name to "Mary Jane";
Spent a heap o' hard-won siller
Jist to rig her oot again.
Jimmy Anderson the tinsmith
Sowdered every broken licht,
Keithie Hutton shued the mizzen,
Sidney made the compass richt,
Alan Cardno, supervisor
Wi' the firm o' Milne and Robb
Trotted up an' doon the jetty
Like a scout on bob-a-job.

Souter Davidson did the paintin'.
Ilka deck-board fisher blue;
Geordie Cruickshank did the caulkin',
Swore that he could see richt through:
Kysie sorted up the caipsan,
Sticker lined the plummer-block;
Geordie Grant cleaned oot the biler,
Saut an' scale as hard as rock!

"Noo!" says Daavit, "I'll be skipper!
I'm the man wi' a' the thocht."
"Fine!" says Jock, "then I'll be driver
On this gallant craft we've bocht."
Sic a fancy celebration
Fin the trial trip was made;
Bobby Taitie sent a hurley
Load wi' pies an' lemonade.

Fourteen weeks withoot a docket,
Onward sailed the "Mary Jane'" —
Daavit took the herrin' fivver,
Jock jist swore an' swore again —
"Daavit man ye're waur than eeseless!
Can ye nae dee naething richt?

Ither folk can mak' a livin',
Yet in debt we're oot o' sicht!
Ticket nivver made a skipper,
Sookin' bairn could furl a wheel,
Pit her in amon' the herrin'
Daavit, or we'll a' ging feel!"

"Richt" says Daavit, "you that's clivver
Come an' tak' a spell up here,
Brains I dinna hae for skipper?
Weel, I'll dee for engineer,
Ficherin' wi' a five-eight spanner,
Dichtin' wi' a greasy cloot;
Ony feel could fire a biler,
Shovel't on an' rake it oot!
Sweat-rag nivver made a driver,
Skill ye need to save the coal,
So my lad we'll jist change places,
I've heen mair than I can thole!"

See her swingin' roon the jetty,
Ilka deck-board fisher blue,
Jock aye tittin' at the fussle,
Tootin' like a tooteroo:
Daavit peepin' thro' the skylicht;
A' the weemin folk wis doon
Bonny dressed, to see the heroes
Settin' oot for Yarmouth toon.

Fylie efter, Daavit's skirlin'
"Canna see a thing for steam!
Biler's burstit! Launch the sma-boat!
Jock; ye ken I canna sweem!"

Thro' the clouds o' steam an' sorra
Comes the sad reply fae Jock—
"Daavit; niver mind the biler!
Jump! we're on the Skerry Rock!"

THE PHILOSOPHER

He wis aye at the Lazy Dyke,
An' he kent ilka sowl in the toon.
Abreist o' the lamp-post he stood,
An' the grun' at his feet wis aye broon
Wi' the bree that he scattered abroad
Fae the chaw that he likit so weel.
Some say he wis idle an' feel.

Feel? Na! nae feel.

"A berth?" he wid say, "Man, I'd ging
But the wife's teen a dose o' the flu.
It's aye been the dream o' my life
To sail wi' a skipper like you.
But, skipper ye ken hoo it is—
Fin the wife's feelin' nae verra weel
Ye're tied like a slave 'til a wheel.
So skipper, I canna weel ging.
Nae eyvnoo!"

Feel? Na! Nae feel.

He wis aye at the Lazy Dyke—
To strangers the saut o' the sea,
Wi' the sang o' the win' on his tongue
An' the glint o' the wave in his e'e.
An' mony's the dram that he got
In the leethe o' the lees he could shiel.

Feel? Na! nae feel.

66

"A cook?" he wid say, "Man I'd ging
But the bairn's teen the kink-hoast eyvnoo.
It's aye been the dream o' my life
To cook for a skipper like you
But skipper ye ken hoo it is—
Fin' a bairn has her breath at her mou'
Ye're tied like a horse 'til a ploo
So skipper, I canna weel ging.
Nae eyvnoo!"

Feel? Na! nae feel.

I hear that he's worn awa
An' we'll see him nae mair at the shore.
Ye can think fit ye like o' the chiel
But ye miss an aul' creel fae the door!
An' faa div we hae for his place
At the dyke that he likit so weel?

A feel? Na! nae a feel.

"A Mate?" he wid say, "Man I'd ging
But I've nae need o' siller eyvnoo.
The last that I got's hardly deen,
An' to sail wi' a skipper like you
Wid mean I'd hae mair than I need.
An' skipper, ye ken hoo it is —
Fin' a boddy has mair than they need
It's likely to ging to their heid
So skipper, I canna weel ging.
Nae eyvnoo!"

Faa said he wis feel?

BIRD OF PASSAGE

I met the perfect peach in Peel
The year that first I sailed the sea;
My glaikit hairt was licht an' feel
But still the lassie likit me.
She whispered in her stranger tongue,
She twined her fingers in my hair,
An' yet, when summer's sang was sung,
I said fareweel — an' didna care.

I kent a bonny Irish lass
When I was young an' runnin' free,
In County Down, in old Ardglass
An' strange to tell she likit me,
Her lauch was like a silver chime,
Her brogue was saft as summer air,
Yet, come the tail-o-herrin' time,
I said fareweel — an' didna care.

I kent a lass in Pittenweem
Wi' starshine glancin' in her ee;
I've yet to meet a fairer deem
An' strange to tell she likit me.
T'was sweet to dally on the braes,
Oor breath like smoke in frosty air,
Yet, come the spring wi' safter days
I said fareweel — an' didna care.

I kent a lass in Stornoway
An' strange to tell she likit me.
Her Gaelic lilt was like a lay
That nymphs micht sing in Arcady.
She was a princess every inch
This caileag wi' the copper hair,
Yet, when the scattan left the Minch,
I said fareweel — an' didna care.

I met a fisher quine at hame,
A lass I'd kent since she was three;
But faith, she wisna jist the same
For scarcely would she look at me!
Noo that's aa bye — we've spliced richt weel
An' coorted thirty year an' mair:
But should she ever say fareweel,
Wi' clippit wing I'd greet — an' care.

POTENTIAL

Fain would I be a tower of strength,
A spreading oak, a friend in need.
And oh, when life is at its length,
To gain the prize — "Well done indeed!"
Fain would I leave a shining scroll
The Lord might with some pleasure scan,
That men might read from pole to pole
And say, "Behold! there was a Man!"

But wishing will not make it so
If, while a traveller in Time,
Content with dross, with sights too low,
I see the Mount and will not climb.
And, should I miss the Promised Land,
'Twould never be excuse enough
To say, "Alas! the Potter's hand
Was working with poor shoddy stuff!"

KIRSTY'S DOTHER

I'm scunnert sair at jewelry an fancy figurines —
The things that were in vogue yestreen are oot o' date the day,
I've presses full o' bonny sheets an' kists o' silver speens
But oh, to hae a something that my neeper disna hae!

My pearls are growin' dirty so I'll dabble them in wine
Wi' aa my bonny trinketies, my diamond rings anaa,
There's naething like a vintage port to gar the thingies shine
But my neeper, bein' better aff, can just throw her's awa'.

I hear she's changed her car again; the glaiss wis growin' dull,
The colour o' the velvet seats jist didna match her sheen,
It's time we had a change oorsel's, I see the ashtray's full
An' the cover on the driver's seat! It's nae jist ower clean!

It disna maitter fit I dee, she keeps a step aheid;
I gain a fitt, she steals a yard, twid gar a boddy greet,
The gear I hae's as gweed as hers; Aye! every bit as gweed
But fit's the eese o' bonny gear faar ithers canna see't?

I'll buy a silver dirler an' pit rubies roon the brim,
Syne stick it on the gate post — Ayel I'll dee't this verra day!
I ken my man'll hae a fit, but och! to pot wi' him
For I maun hae a something that my neeper disna hae!

THE PAIRTIN'

Fa'll get the hoose noo
   Fin Baabie's worn awa'?
It may be gweed an' bonny
   But it canna pairt in three.
The aul'est quine's a quaet lass,
   She'll mak' nae sough ava,
But th'ither twa's baith tartars,
   An' I'm sure they winna gree.

An' fit aboot the siller?
   Wid there be a puckly yet?
D'ye think that Baabie kept it
   In a moggan oot o' sicht?
Yon poun or twa that Dodie made
   Fin he wis on 'is fit,
The aul' folk fairly hained it
   But the quines'll gie't the dicht.

An' fit aboot the organ
   She thocht so muckle o'?
A source o' joy an' pleasure yon
   For mony a year an' day.
Ye may be sure the bleed an' hair
   'll flee like caff; altho'
The three o' them has room for't
   There's jist twa o' them can play.

An' fa'll get the furnitur'
   An' a' yon bonny gear?
The finery an' grandeur
   That wid rig a dizzen queens?
Yon quines'll greet an' cairry on,
   An' hud a sair maneer
Till peer aul' Baabie's happit; syne
   They'll pairt her verra speens.

Noo fit aboot the youngest quine?
   She's nivver teen a man;
That's hardly to be winnert at
   For plainer couldna be.
But she wis aye the favourite,
   Her share wid keep me gaun,
So I'll jist hing on a fylie
   An' I'll see if she'll tak' me.

THE BACK O' SUNDAY

Cold and clear the starlight,
  Bitter keen the breeze,
Chasing midnight shadows
  On the shrouded quays,
Silently the fishers
  Come from far and near;
Murmured words of greeting,
  Orders low yet clear.

Click of wheel-house switches,
  See the side-lights glow
Ruby-red and emerald
  On the frosted snow.
Splash of ropes in water;
  Stamp of snow-soled feet,
Swirling of propellers,
  Diesel's steady beat.

Mast-head lights a-gleaming;
  Single line ahead;
Spreading out a little
  Once they clear the Head.
Deep and dark the silence
  Now that they are gone.
Eastward on the waters —
  Eastward to the dawn.

REFLECTIONS

Mahogany and cedar
Are stuff of a bye-gone day.
With the paraffin lamp and the mizzen sail
They have gently passed away.
Now laminates and plastics reign
In the fisher's cabin home,
And the cold white gleam from the deck-head light
Meets the cold clear glint of chrome.

But the picture of wild white horses
That's framed in the galley door
On a surly winter morning
Is the same as it was of yore.

Technology and science
Have claimed the bridge for their own.
Now the auto-pilot takes command
Where the helmsman ruled alone;
Where the paper scrolls and the flashing lights
In the instruments on view
Bewilder a seaman of former years
Like a scene from Doctor Who.

But the seas still rise to an awesome height
When the ranging gales blow shrill,
And a faith in things that were made by men
Can ne'er take the place of skill.

The iron steeds in their stable
Have tripled their might power,
And the raging thirst in their white-hot throats
Would an ocean of oil devour.
It would seem alas, as the years roll on
And the pages of time unfold,
That the thirst for power is a terrible twin
To the terrible thirst for gold.

But the power of the sea is a matchless power
That throttle nor bridle can tame,
And it laughs at the iron horses' breath
As the torrent laughs at a flame.

"Ye are old", cries youth in anger,
"Ye know not the present time!
Your days are now in the yellow leaf
And will soon be white with rime!
But we have our years before us,
We play on a better pitch.
The tools and the will-to win are ours,
In the strength of our youth we are rich!"

We are old! Who knows it better?
But let this at least be said,
That once we were young, and strong, and poor,
And 'twas seldom we counted our dead.

NOT TO THE SWIFT

Jock an' Daavit played thegither
   On the rocky Buchan braes;
Focht an' greed wi' een anither
   A' their happy childhood days.
Shared their humble bits o' treasures
   Chance aboot, for friendship's sake;
Shared their simple hamely pleasures,
   Pleased to see an antrin maik.

Schooldays cam' wi' books an' learnin';
   Readin', spellin', three times three,
Jock an' Daavit chafin', yearnin'
   Fae their prison to be free.
Scoltit for their careless writin',
   Keepit in for bein' late;
Spent the weary time o' wytin'
   Drawin' shippies on a slate.

Schooldays deen, they left thegither;
   Sang like linties to be free,
Left ae prison for anither,
   Noo their jiler wis the sea.
"Work a' nicht, my willin' nippers!
   Sleep the time o' steamin' aff,
Dream o' days when you'll be skippers;
   Royal dreams on beds o' caff!"

O the joy o' distant places,
   Ports they'd nivver seen afore.
Like the desert's green oasis
   Sweet the antrin nicht ashore.
Yarmouth lichts shone clearer, rarer,
   Wi' the glamour o' the name,
And the stranger lass seemed fairer
   Than the fisher quine at hame.

Lily waters, ragglish wither,
  Wintry blast or summer haze,
Jock and Daavit wrocht thegither
  Shipmates, a' their decky days.
Till the path they trod divided
  Into twa, as paths aye will,
An' maturer years decided
  Each should clim' his ain hill.

Pairted? Aye, but nivver striven;
  Skippers wi' a boat apiece.
Jock was pleased to get a livin';
  Daavit socht the golden fleece
Where the distant fields loomed greener
  Wi' the glamour o' the name.
Jock, peer, canny sowl wid seener
  Puddle oot an' in at hame.

Nivver aff the sea was Daavit,
  Gross the aim an' fame the goad,
Sleepin' wore his boots an' graavit,
  Sabbath days were in his road.
Jock could steal an' oor for leisure
  On the sunny bowlin'-green.
Or to walk in sweetest pleasure
  Up the waterside wi' Jean.

On the scroll o' fishin' glory
  Daavit's name's abeen them a'.
Seldom in the hale lang story
  Will ye hear o' Jock ava.
Thus t'wid seem that a' thegither
  Daavit cam' the better speed.
Yet this ae thing gars me swither—
  Jock's aye livin', Daavit's deid.

ASPIRATION

Let not the prospect of reward
   My sole incentive be,
When, at the urging of Thy call,
I leave the sheltered harbour wall
   To venture on Life's sea.

Let not the blinding mists of self
   The way ahead obscure.
Help me to play a manly part;
Illumine Thou for me the chart,
   And keep my motives pure.

But let my sense of duty be
   A constant star to guide;
To keep me. Lord, come weal or woe,
Still mindful of the debt I owe
   To Thee the Crucified.

And, should the adverse storms of fate
   Assail with furious force,
Help me, dear Lord, to brave the gale,
To trim faith's torn and tattered sail
   And set anew my course.

Then if, with favouring breezes blest,
   Swift on that course I press,
Forbid, O Lord, that I should fly
Thy colours, heedless of the cry
   Of others in distress.

Till Heaven's peaks are clearly framed
   Against the setting sun,
Help me to toil with heart sincere
That I may worthy be to hear
   The precious words "Well done!"

DAN'S DREAM

Ae nicht we shot a fleet o' lines
　　Across the Buchan Deep,
Syne set the watch an' turned in
　　To hae a fylie's sleep.

Oor skipper's name was Rascal Dan—
　　He weel deserved the name,
But, noo I come to think upon't,
　　The crew wis a' the same.

At three o'clock we turned oot
　　An' took a mou'ful tay,
Says Rascal Dan: "I've dreamt a dream,
　　Ye'll get a shot the day!"

We didna tak' 'im on ava;
　　Ye'll maybe think that queer,
But Dan, as far as we could tell
　　Wis this world's biggest leear.

We started haulin' early on,
　　But nae a fish wis gotten.
Says Dan—B'jings that's afa queer;
　　The bait wis surely rotten."

Aff-takin' words were flung at Dan;
　　He didna care a bit,
But said — "Fit's a' the noise aboot?
　　The lines are nae hauled yet."

The hinmost line was nearly hauled;
    We wis gey near the dhan,
Fin a' at eence the cry got up—
    "Boys, come an' gie's a han'."

We ran wi' clips and lowrie hooks
    To see fit wis adee,
It wis the biggest roker skate
    That ivver swam the sea.

'Twis dark o'clock afore we got
    Her snoot in owre the rail,
An' tho' we had a searchlicht, boys,
    We couldna see her tail.

Cries Rascal Dan — "Boys, tak' a turn!
    Ye'll dee nae mair the nicht."
We gied her half a coil o' rope
    An' turned in till daylicht.

At brak o' sky we tried again
    But this time wi' the winch;
We got her snoot half up the mast
    But not anither inch.

We workit hard, but a' in vain,
    Till we wis fair bate,
But Dan jist widna pack it in
    For ony dirty skate.

Ye'd scarce believe that sic a fish
　Wis ivver seen by man;
Her tail, tho' sixty fathoms doon,
Wis steerin' up the san'.

We got the tow-rope roon her snoot
　An' gied the shippie jip;
The skate cam' trailin' close astarn
　As big's a battleship.

We couldna' mak' much speed, ye ken,
　The strain wis something cruel;
We took that lang to come ashore
　We burnt near a' wir fuel.

She wis a bonny fish, nae doot,
　The biggest seen for years;
Man, fin we tried to rin the Bey
　She stuck atween the piers.

The tow-rope broke, an' doon she gid,
　Oor labour was in vain,
So peer aul' Rascal Dan'll hae
　To dream a dream again.

SONG FOR A WINTER'S NIGHT

"Tylie Tylie Tartan
Gid up the lum fartin'.
Twinty needles in his dock
An' couldna shue a garten"

Thus we sang in a golden age
When school was a treat in store;
When the world was the size o' a chingle beach
In the hert o' a granite shore
Faar mussel shaals an' herrin' corks
Cast up by the bounteous sea
Were a magic carpet of pure delight
For barfit bairns like me.

"Ten o'clock the gas goes out.
I can stay no longer,
For if I do Mama will say
You've been playing with the boys out yonder"

Thus sang the quines in a golden age
When school was a joy indeed;
When the world had raxed fae the water-mou'
Richt sooth to Sautusheid —
A langer shore wi' a richer store
O' ferlies fresh fae the sea;
Flotsam and jetsam fae Treasure Isle
For barfit bairns like me.

"There wis a ship gid roon the coast
An' ilka sowl on her wis lost
Barrin' the monkey climmt the most
An' the Boddamers hangt the monkey-o."

Thus we sang in the golden age
When school was a dreary chore;
When we'd traivel half a dizzen mile
To see a ship ashore.
A trawler, a steamer, a sailin'-ship—
Fair game for the fog-bound sea,
And their names were blazoned for evermore
In the minds o' loons like me.

"Tiptoe from your pillow
To the shadow of a willow tree
Come tiptoe thro' the tulips with me."

Thus sang the quines in the herrin' yards
Fae Lerwick to Yarmouth's Denes;
Sangs o' the sweet exotic love
O' the Technicolor screens.
But their desert sheiks wore hair-back breeks
An' ganjies o' navy blue—
Their dashing beaus and their Romeos
The lads in a drifter's crew.

"Somewhere the sun is shining,
Somewhere the songbirds dwell.
Cease then thy sad repining,
God lives and all is well"

Thus we sang as we scoured the deep
Like our fathers did afore;
Our life-mates mended the broken nets
And our bairnies played on the shore.
It was haul-an-shak' wi' a willin' back—
Rare life for the strong and free;
Yet we spent our years as a tale that is told,
Bond-slaves to the hertless sea.

They tell me this is the golden age
When we've neither cark nor care,
For the welfare state 'll fill our plate
Wi' a mealick or twa to spare.
But we canna sing aboot ony thing
Save the days that eesed to be,
For we're flotsam and jetsam wi' silver hair
Left high and dry by the sea.

If it's fit to be oot we step aboot
Wi' the speed o' a cripple partan,
Yet oor herts would fain be singin' again
On the beach — wi' Tylie Tartan.

THE SEA IS YOURS

I have gazed too long on this barren scene,
  And my restless heart grows weary;
For I find the sea's broad heaving breast
  And its wide horizons dreary.
I would forfeit much to feel the touch
  Of moss on my burning cheek;
Could I lie at ease where the golden bees
  Their scented treasures seek.

I have felt the unbroken noontide heat
  From the blazing cloudless skies,
And the golden glare on the dappled sea
  Has tried my sleepless eyes.
Give me the shade of a leafy wood
  Where the ferns and bracken mingle,
And the quiet gleam of a clear trout stream
  In a bed of rich brown shingle.

I have watched the fulmar wheel and soar
  On tireless wing and strong;
But the birds that dwell 'mid the ocean swell
  Have never a note of song.
Give me a friend on a winding road,
  With a purple moor before us;
The flaming bloom of the golden broom
  And the song-bird's evening chorus.

I have seen the flaring North Sea dawn,
 And the glow of the splendid west
Like a stained glass window in the sky
 When the sleepy sun seeks rest.
Give me the softer, milder light
 Of a still September gloamin';
Thro' a misted glen, 'neath a rugged ben
 I fain would go a-roamin'.

I have felt the lash of the stinging spray
 And its bitter taste on my lips,
For my lot is cast with the vast array
 Who go down to the sea in ships;
But my heart would be where it might be free
 From the ocean's vaunted lures;
Give me the trees, the birds and bees—
 And all the sea is yours!

LINES FROM A POACHER
TO AN INFORMER

They tell me, freen, ye've priced a steen
  Wi' a bonny marble border;
Ye've trailed yon hidden stockin' oot
  An' plunkit doon yer order
Wi' strict instructions thus to write
  The epitaph so fine:
"Here lies a simple, trustin' chiel
  Who crossed the three-mile line."

The name ye'd carve across the base
  In letters clear an' deep
Belangs t'a chiel I ken richt weel,
  A hairmless, wandering sheep.
He crossed a line an' broke the law.
  But micht I be as bold
As say he has a bigger faut:
  He's fae a different fold.

I ken ye'd like to hae yer steen
  Firm plantit ower his heid;
But still he'd like ye — if ye can —
  To wyte until he's deid.
He canna sleep, he canna ait,
  Wi' thocht his hert's gey weichty
Aboot the interest that ye'll loss
  Gin he should live till eichty.

I ken he'd like some future day
  To meet ye up in heaven;
To find the thing he did below
  Forgotten and forgiven;
To see ye busy at yer job
  In the leethe o' a pearly gable,
There gie'in ilka man his place
  An' ilka cod a label.

TO A "BURNIE"

There's a bit o' the "Burnie" aboot ye,
A something I canna weel name,
   It's nae verra gweed,
   But it rins in yer bleed;
So I'm thinkin' ye're hardly to blame.

Ye're jist like the lave in appearance,
Tho' that's nae a terrible fau't.
   But the things that ye've seen
   Maun get hose, aye! an' sheen;
An' yer yarns needs a grainie o' saut.

It seems to the truth ye're a stranger—
I'm gyaun b'the binders ye tell;
   But it's a' richt wi' me,
   Tho' ye come wi' a lee,
For I'm mair than half-"Burnie" masel'.

"Burnies" were the natives of Burnhaven who had a great reputation for spinning yarns, a talent which has seemingly been inherited by their descendants—P.B.

THE RICKIN' LUM

Jock cam' oot 'til 'is gavle en'
   An' he leaned against the wa';
He liftit the snoot o's aul deen caip
   An' he gied 'is pow a cla'.
He lichtit 'is pipe wi' a sook an' a smack
   Ere he traivelt back an' fore
The same aul wye that he'd deen for 'ears,
   Fae the hoose to the sheddie door.
The watch-keeper stars were bricht an' clear
   Abeen in the frosty dark,
An' the win's caul nose wisna slow to learn
   That Jock had a gey thin sark.
It wis five steps east, it wis five steps wast
   Wi' a thocht aboot this an' that,
An' nivver a craitur to look near han'
   But a meowlin', prowlin' cat;
An' nivver a soun' but the sough o' win'
   An' the girn o' the wintry sea,
For the bairns that had played in the street a' nicht
   Were far sleepy bairns should be.

It wis five steps east, it wis five steps wast
   Wi' a thocht aboot this an that,
Fin up fae the shore cam' a weel-kent fit;
   'Twis 'is crony, aul' Dod Watt,
A lang, thin chiel wi's neck weel rowed
   In a grauvit sax fit lang,
An' throwe the stumps o's broken teeth
   He wis fusslin' an aul Scotch sang;
A tune that wis aul' as the Heilin' hulls
   Tho' he couldna gie't a name.
He wis gey sair made at the twirly bits
   But he fusselt them jist the same.

"Sirs!" says he, fin he saw oor Jock
  At 'is traivlin' up an' doon,
"Ye're the only driftin' soul that I've seen
  This nicht in a' the toon!
Hiv ye nae a hame? Are ye short o' coal
  That ye're bird alone oot here?
Ye'd be jist as warm if ye steed a fyle
  At the p'int o' the convick pier."

"Man," says Jock, "I wis sittin' fine
  In the cosy ingle-neuk,
Readin' a bit, an' singin' a bit,
  An' beatin' an antrin heuk;
The dog wis streetched on the fender-steel
  Wi's sleepy heid on my feet,
An' I thocht that life wi' its ups an' doons
  Could fyles be unco sweet;
Fin doon the lum cam' a muckle flan,
  An' it fullt the hoose wi' rick,
An' I hoastit sair, an' I cowkit mair
  Like a first-'ear loon that's sick.

My een wis waterin' thick an' fast
  An' my nose wis full o' sitt,
So I've jist come oot for a breath eyvnoo
  For the air in there's nae fit."
"Sirs!" says Dod, "that's a peety noo,"
  An he fell in step wi' Jock,
But nivver a word did he believe
  For Jock's wis leein' folk.
Since ivver they sailed the stormy sea
  Their cod had aye fower heids,
An' the hens o' them that wis fairmer folk
  Laid eggs wi' twa big reids.
It wis five steps east, it wis five steps wast
  Wi' a word aboot this an' that;
Jock wi' the rick fleein' ower 'is heid
  While Dod jist chowed an' spat.

An ilka drag was a double lift,
An' on ivvery heuk a skate,
An' herrin' ran doon the th'artship lids
Like a hielan' burn in spate.
So they shot an' hauled, an' they dodged an' ran
Thro' fair an' conter seas,
An' aye as the dark 'oor later grew
Aye bigger grew the lees.
Till oot o' the nicht a fearsome yowl
Cam' dirlin' wild an' clear—
It stilled their speech, an' it steyed their step,
An' it froze their herts wi' fear.

'Twis Isie oot at the kitchen door
On the hunt for her gweed man Jock,
An' she cyardit 'im up and she cyardit 'im doon
Baith him an' a' 'is folk.
An' lood, aye looder grew her note
An' heicher grew her skirl;
It made the cat tak sheet wi' fricht
An' it gart the windas dirl.

He wis this, he wis that, he wis naething gweed;
He wis idle to the bone,
An' the only thing that brocht a smile
Wis the sicht o' the southerly cone.
He wis nivver oot, he wis nivver in;
He wis jist an orra drouth;
Fine did she ken fit wye he wis aye
So keen on a berth for Sooth.

An' aye her tongue gid clatter clap
Like the starn o' a cripple deuk.
An' the names that she ca'd her man that nicht
Wis nivver seen in the Beuk.

"Gweed-nicht!" says Dod 'til 'is leein' freen.
"I see the rick that's to blame.
But it's time that I wisna here mysel',
I've a rickin' lum at hame!"

THE PHARISEE
Luke 18 v. 11

I'll nivver shot a net again,
  I'll nivver redd a line,
Nae mair I'll steer a compass course
  Nor face a rising gale;
I'll lead nae dark patrols again,
  Nor sweep a German mine,
There's only ae thing left for me—
  The feenish o' the tale.

For mair than fifty 'ear, my loons,
  I sailed the sauty sea,
In summer and in winter baith,
  I seldom missed a day;
Ye ken yoursel's there's nae a port
  That you can name to me,
But what the folkies there'll ken,
  The bonny "Mandalay".

In Shetland voes and Orkney firths,
  An' Hielan' lochs as weel,
I've met a puckle decent men,
  An' look on them as freens;
Fae Duncansby to Yarmouth,
  An' fae Stornoway to Peel,
I've met some bonny lassies that,
  In a' but rank were queens.

93

But noo-an than, my loons, I'd meet
A middlin' kind o' chiel.
Ye're sure to meet his marra,
Or ye winna live ower lang;
I'd tak' him for an honest man,
He'd think I wis a feel,
I wisna lang o' learnin',
That the baith o's wis clean wrang!

Afore my breath gings oot my loons,
There's ae thing ye maun dee!
Jist bring to me the salesman,
An' a buyer if ye can;
Ye'll sit them doon aside me,
But in case they canna gree,
Jist split them up an' lat them tak'
My port an' starboard han'.

At sic a time in sic a place,
They'll wear their Sunday Claes,
They'll maybe nae be willin',
But my loons jist gar them bide;
Then like the Lord I've tried to serve,
An' follow a' my days,
I'll leave this port for glory,
Wi' a thief on ilka side.

NOTE:—

The Pharisee: This story varies slightly from village to village but it has been a standing joke among fisher folk for generations. The original "arch-villains" were the herring curers but with the demise of the salt herring industry the curer's mantle had to fall on someone else's shoulders. The choice is left to the story teller but the fisherman must be portrayed as a paragon of virtue.

FAR ARE THEY NOO?

Far's a' the happy loons that played aboot Raemoss,
Or smokit secret tabbies oot o' sicht in Doctor's Closs?
The loons that made a rocky-on to try an' beat the tide,
Or played yon kind o' fitba' far there's twenty-five a-side?
The loons that ran the billy fin the herrin' fleet wis sooth,
An' for the sake o' tuppence aye could magnify the truth?
Far are they noo? Aye! far are they the day?
The Queenie loons that rode their sledges doon the wally Brae,
The Sooth Bay loons that didna care tho mithers gied them jip
For reestin' stolen speldin's in aneth the Lifeboat Slip.
The wild an' gey ill-trickit loons that bade in the Ronheids,
An' Buchaners, on the warpath, swingin' tangles roon their heids;
The fisher squad that had, at times, a rowdy wye o' playin',
An' toonser lads that had, nae doot, some capers o' their ain
Like rinnin wi' their sheen on close ahin' the water-cairt,
An' comin' wi' a story that wid brak a mither's hairt.
Far are they noo? They've surely flown like birds,
An' teen their peeries wi' them an' their stumperts an' their girds.
An' far's a' the lachin' quines that plowtered doon the braes,
An' gaithered dally's-cleysies on the bonny simmer days?
The bonny quines, the plain quines, reid-heidit, dark or fair
That skirl't "At's tell't 'e teacher!" if ye tried to rug their hair.
The quines that chaulkit beddies at the tap o' ilka street,
An' skuffled at the steenie till the sheen wis aff their feet.
The quines that sang like linties as they played their merry games
Wi' jumpin'-ropes, an' wyin' weichts, or bonny coloured lames.
At nicht aneth the lamp-post, they'd be singin' wi' a will—
"Ten o' clock the gas goes oot" or "The Lass o' Richmondhill."
Far are they noo? The place is nae the same
Athoot them an' their "fairmer's dog, an' Jumbo wis his name."
Far are they noo? There's some that's hyne awa',
An' some that's nivver even thocht on leavin' hame ava.
But whether they be owre the sea, or still a-tyauvin here,
Let's wish for them an' a' their bairns, a happy gweed New 'Ear.

GENERATION GAP

My loon, I dinna ken your name
But faith, I think I ken the face!
Ye've the swipe o' a chiel I eesed to ken
When the world was a finer, sweeter place.

Ye needna say fa your father is,
Or whether or no he gings t' sea.
An' tho' I wis tellt faa your mither wis,
'Twid mak nae odds to the likes o' me!

Jist say, if ye can your Granny's name
Afore she ivver wis a bride;
An' then, my loon I'll rype ye up,
For memory's door 'll open wide.

RIPPERITIS
(For the mosquito fleet)

The tide's as dull as a tide could be,
For she's fillin' nine an' she's ebbin' three,
But I canna see the piers for sea,
So it's nae a chance for the ripper-o
It may be the breeze'll sattle quick,
An' a box o' codlins would tak' a trick,
But, faar div ye ging fin the water's thick,
In a cockle shaal wi' a ripper-o?

On a bakin'-board ye could sail the sea,
But the tide's as het as a tide could be,
For she's ebbin' nine an' she's fillin' three,
So that's nae eese for the ripper-o.
The big stream tide'll sattle quick,
An' a box o' codlins would tak' a trick,
But ye may be sure it'll come smore thick,
An' that'll connach the ripper-o.

The big-boat man has an easy task—
His kite's as big as a brandy cask,
But a sharger like me wid slide thro' a mask
For I'm chief an' I'm cook an' I'm skipper-o.
There's aye a something to cowp the cairt,
There's aye a sorra to brak the hairt,
But, still-an'-on I wid nivver pairt,
Wi' my cockle-shaal an' my ripper-o.

The ripper mannie's a hardy breed!
There's naething but codlins in his heid,
His wife voos oot he'll be gotten deid,
In his cockle-shaal wi' his ripper-o.
Weel, some fine day in the happy land,
She'll see him there on the golden strand,
Still fartin' aboot like a one-man band,
Wi' his flask, an' his piece, an' his ripper-o.

Note:—The ripper is a primitive yet effective way of catching cod without bait. It has been aptly described as "A lump o' leed at ae en' an' a feel at the ither."

97

HOME THOUGHTS AT THE HAISBORO'

November's moon has waned; the sea is dreary,
    December's greyness fills the lowering sky;
But we are home ward bound, our hearts are cheery
    For far astern the Ridge and Cockle lie.

For one sweet year no more we'll dread the Scroby;
    No more we'll fear the Hammond's broken swell,
Nor shall we toil and strive in dirty weather,
    Upon the tide-swept shallows of the Well.

The silver harvest of the Knoll's been gathered;
    The teeming millions from their haunts have flown,
From Ship to South-Ower buoy the sea's deserted,
    And we have reaped whereof we had not sown.

When snow lies deep, in cosy loft a-mending
    Our nets, the times of danger we'll recall,
The days of joy, the nights of disappointment,
    Each silver shimmer and each weary haul.

And children, sitting chin-in-hand, will listen—
    Forsaking for the moment, every toy;
For there's a deep and wondrous fascination
    In sea-tales, for the heart of every boy.

And we, all wise, forbidding them the sea-life,
    Will see them smile when we have had our say,
Full well we know th' extent of their obedience,
    For are we not the boys of yesterday?

Three-hundred weary miles ahead are waiting
The joys of home, the hand-shake of a friend,
And Buchan Ness will flash her silent welcome—
    "Here now my children is your journey's end."

FIRELICHT

I sat at the fire on a winter's nicht
When the grun' wis fite wi' sna,
An' I watched the lowes wi' their flickerin' licht
Drawin' picters on the wa';
Then deep in the he'rt o' the fire so reid
I saw the face o' a freen—
A barfit loon, wi' a curly heid
An' a pair o' lauchin' een;
Then the win' in the lum changed its dreary tune,
An' it hummed a lilt to the lachin' loon:

Div ye see the PD drifters
Div ye see them yet ava?
"Div ye see the PD drifters,
Comin' hame fae Stornowa'?"

A swirl o' rick at the back o' the grate,
An' the loon gied place till a quine;
Wi' her hair in a bonny ribboned plait,
An' her buttoned boots a-shine.
She sat at the fit o' an aul' steen stair
Wi' a raggit hame-made dall,
An' she sang a lang forgotten air,
As she rowed her bairn in a shawl;
Then the win' in the lum ceased its weary whine
An' it sang that air wi' the happy quine:

"Wee Jockie-birdie, toll-oll-oll,
Laid an egg on the windi-soll;
The windi-soll began to crack
An' wee Jockie-birdie roared an' grat."

The quine wis awa' ere the sang wis deen,
  So I turned my heid awa'
To see yet anither byegone scene
  Clear-cut on the kitchen wa'.
An aul' wife bent wi' the heavy creel
  Her quites jist clear o' the grun',
An' a squad o' bairnies, young and feel,
  Jist trailin' ahin for fun.
Then the win' in the lum cleared its rummlin' throat
  An' it sang wi' the bairns on a jaunty note:

> "Tinkie-tinkie tarry-hat, yer hat's nae yer ain,
> Ye stole't fae a fisher-wifie, comin' fae the train."

The aul' wife faded as the fire sank low,
  An' the bairns were left their leen;
They seemed to be weary-like, they gaed that slow,
  Crawlin' hame when their play wis deen;
But the hailsteens rattled on the window-peen.
  Like the dirl o' a kettle-drum,
An' the win' cried "Bairnies, far hiv ye been?"
  "Hing in noo! Hame ye come!"
Then the lazy lowes sprang to bricht new life
  Wi' the bairns, as they sang in their playfu' strife:

> "Sling yer gun across yer shooder
> A bag o' lead an' a saiddler's pooder,
> We're awa' to fecht 'e Germans
> Owre the hills o' Mormon'."

I sat till the aise turned grey on the bars
  An' the lowes wid play nae mair,
Then I lookit oot at the frosty stars
  Jist afore I climmed the stair.
The same aul' stars that eesed to shine
  On oor wind-swept fisher toon.
But they didna see the happy quine
  Nor the lachin' barfit loon.
Said the win' in the lum as I fell asleep—
  "Youth's jist like yer dreams — it winna keep."

DAYS GONE BY

Did ye ever spend a summer evenin' playin' ower the backs,
Watchin' lest the Queenie Arabs got upon yer tracks,
Kennin' it wis bedtime when ye saw the evenin' star,
And crawlin' hame so happy wi' a bandy in a jar?

Did ye ever look for partans at low water 'mong the waur
Carin' little tho' yer claes wis clartit thick wi' glaur?
Did ye ever tummle in a loch an' ruin a' yer claes,
Syne tell yer mither somebody pushed ye in doon the braes?

Did ye ever licht a firie when the nichts were drawin' in
An' bile a curny wulks in an aul seerup tin,
Happy tho' the bitin' smoke wis nippen a' yer een
Howkin' oot the wulks wi' an aul' hairpreen?

Did ye ever dirl the winda's wi' an aul widden pirn
Syne kill yersel' wi' lauchin' when ye hard the wifie's girn?
Did ye never watch a chancie when it wis growin' dark
To steal a puckly peys oot o' Johnny Mattha's park?

Did ye never scoff yer hamework and dread the maister's froon,
And wish wi' a' yer hert that the school wis burned doon?
Did ye never tie the door-knobs across a nerra street,
Syne cut the tow an' lat the doors ca' the wifies aff their feet?

Did ever ye rin barfit aboot the Bogie Hole,
An' if yet got the chance did ye ever steal a yole
An' scoor the Bey-a-lookin' till the win' wis growin' caul'
For "Merchant Street wide open an' the big clock's han's at twal?"

Lang syne when we were loonies we had naething bit oor health,
A penny wis a fortin and a saxpence untold wealth!
And noo they're scattered far an' wide that ran the braes wi' me,
Here's health and happiness to them farever they may be!

THE MENNIN' LAFT

It's cosy up here in the laftie at nicht,
  Tho' dreary nord-easters may girn roon the lum,
The fire's blinkin' bonny, the licht burnin' bricht,
  The caul winter's comin'? Weel jist lat it come.

The win' throws a han'fu' o' rain on the peen;
  The verra reef shaks wi' the wecht o' the flans,
But here in the laft, till the winter be deen,
  There's warmth an' there's comfort—an' work for a' han's.

The wife's sittin' mennin', wi' Mary oor quine,
  An' aul' Yarmouth net clickit up at the wa',
A net that's gey picky an' greedy for twine,
  An' they're nae gettin' nearer the gavle ava.

They're snippin' an' clippin'; they sing as they men',
  Tho' theirs is the slowest and dreichest o' tasks.
There's nivver a girn, tho' they're oors upon 'en',
  Aye stooin' and shooin' at three-leggit masks.

An' fit aboot me in the corner masel?
  I'm sortin' a torn een that's haavert in twa.
She wis foul o' the rope at the back o' the Well,
  An' it seems there's a skelp o' the yarn clean awa'.

I think I'll condemn 'er an' leave 'er aleen;
  The weemin'll say I'm a dear if I div;
She'd be gey ill to men', for she's jist fair deen,
  An' there's knots on the selvidge as big as my niv.

102

They're hamely the soon's in the laftie at nicht;
  A scrape an' a dunt as the wife shifts 'er cheer.
The risp o' the twine as she hanks the knots ticht,
  An' the clump o' the corks on the bare widden fleer.

Noo Mary starts singin' a bonny Psalm tune—
  Her mither, fine pleased, as I see by her face,
Jines in noo-an'-than as the verses come roon,
  While I sit contented jist bummin' the baiss.

A fit on the stair-heid, an' in comes a freen,
  To borry a patch an' to speir for my hoast.
We crack aboot gear, an' the times that we've seen
  Fin the sappers cam' hame tho' the reid eens wis loast.

He speirs for the folk that are hine owre the sea,
  An' hoo they're a' fairin', an' fan they'll be hame.
We're poor han's at writin' — I'm sure ye'll agree
  That writin' an' speakin' wis nivver the same.

An' so the lang evenin' wears on till its close —
  The fire's gettin' low noo — we'll call it a day.
We're nae like the fairmers wi' bowlies o' brose,
  But surely ye'll bide for a shallie o' tay.

THE DUNDERHEID

Oh, he was thick! Man, he couldna coont
The product o' three times three,
But that was a gift that the Lord had kept
For his favoured sons like me.
He sat at the fitt o' the snicherin' class
Wi' his battered bag at his feet,
An' the dytit wye that he thocht an' spoke
Wid ha' gart an angel greet.

Oh boys, he was thick!

Oh, he was thick! Man, he couldna tell
A snatchie o' verse fae prose,
But that was a gift that the Lord had kept
For those an' such as those.
He sat at the fitt o' the snicherin' class
An' man, ye wid scarce believe
That to clean his slate he spat in its face
Syne gied it a rub wi' his sleeve.

Oh boys, he was thick!

Oh, he was thick! Man, he couldna see
That the verb was the predicate,
But that was a gift that the Lord had kept
Fae the loon that was short o' mait.
He sat at the fitt o' the snicherin' class
In his orra'like sheen an' hose,
An' he seemed to think that the back o' his han'
Was for dichtin' his bubbly nose.

Oh boys, he was thick!

I've jist been readin' the daily news
An' there, in the centre spot,
He's sellt some ships to finance a Hame
For bairns that the world forgot.
He's miles aheid o' the snicherin' class
An' I've learned wi' shame on my face,
That it's nae for me nor my class to decide
The gift, nor the time, nor the place.

Oh Lord, I've been thick!

HAME COMFORT

A wife that I ken has a bonny Room
  Wi' a fleer like polished glaiss,
An' the sun peepin' in thro' the spotless screens,
  Gets blin't wi' the bleeze o' braiss.

There's this and there's that o' the latest style,
  An' the dearest o' fancy suites;
An' could ye but tramp on the basses there,
  I'm sure ye wid sink to the queets.

There's nivver a mark o' stue in the place,
  For it's ower weel cleaned an' dichtit.
An' the grate! Aswarn it wid heat a kirk
  If the fire wis iver lichtit.

Her man has a seat that's as hard's a steen
  In the barfit kitchen en'.
He kens there's a far better cheer in the Room,
  But he kens he daurna ging ben.

So he sits in the draucht wi' a dreep at 'is nose,
  An' a hackin' hoast at 'is breist,
An' he growls as he glowers at the skimpit fire—
  "It's a fittit carpet neist!"

But he shouldna girn, for he ocht to ken,
  If he'd ony sense in his heid,
That he'll get a chance o' the Room some day
  Fin he's caul' an' stiff an' deid.

(I'm led to believe there is quite a lot of this kind of Home Comfort in the Country places too — Author)

THE WIN' IN 'IS FACE

Some folk get the win' in their face
　A' their mortal days,
Fine div they ken the desert place
　Wi' its dreich an' craggy braes.
Theirs is the world o' trauchlin' thro';
　Theirs is a dour grey sky.
For the sunny spell an' the gentle dew
　Seem aye to pass them by.

Some folk get the win' at their backs;
　Theirs is a lichtsome birn,
Wi' nivver a flaw in the fine-spun flax
　They draw fae the birlin' pirn.
Theirs is the world o' fill-an'-fess-ben,
　Theirs is a bricht blue sky,
For the caul' roch shooer that weets ither men
　Seems aye to leave them dry.

Some can smile in their weary lot
　Altho' the fecht be sair;
Some hae aye the greet in their throat
　Tho' they've neither cark nor care.
Keep 'ee the chiel fae the sheltered place
　Wi's hert as caul' as a steen,
I'll tak' the lad wi' the win' in 'is face
　An' I'll hae a better freen.

DREAMS O' HEAVEN

Jock an' Daavit bocht a boatie—
Pleasure for their sunset days;
Struck a heavy spot o' codlins
Nae far aff the Geddle Braes;
Back an' fore a' day they fleeted,
Solid fish at ilka rip!
Daavit, pleased eneuch, yet vexed
He didna ha'e a bigger ship:

Back an' fore a' day they rippit
Till the boatie sappy grew:
Up t' his doup in warrie codlins
Jock cries "That's a plenty noo!
Water's lippin' ower the gunnel!
Muckle mair she canna thole,
Dinna jump aboot noo Daavit,
Bide at peace or ye'll sink the yole!"

"Weel!" says Daavit, sweir t' leave them,
"We'll ging hame as lang's it's fleed.
Jock! 'twid be a richt fine thing
If aabody else in the world wis deid;
Then, my loon, we'd mak' a fortin,
Powen notes wid flee like spells!
Faa like hiz? Nae competition!
A' the ocean t' wirsels."

Jock, gweed sowl, began t' habber,
"Daavit, dinna be so feel!
Faa div ye think wid buy yer fish
If this gran' dream o' yours wis real?
Fine ye ken ye'd need a market,
Folk kens that fae here to the Sloch!"
"Dinna fash yersel'," says Daavit.
"That's thocht oot! There's aye the Broch!"

108

NAME IN BRACKETS

Ye're awa' fae the braes noo, barfit loon,
Awa' fae the sea an' the shinin' san',
Fae the slippery steens an' the raivelt waur,
Far ye'd catch a puller wi' practised han'.
Ye're awa' fae the pier wi' the cairts an' the saut,
An' the steam an' the tar an' the herrin' smell,
Awa' wi' the soun's on the mornin' air—
The clatter o' hooves an' the herrin' bell.

I've seen your face in an antrin dream,
Owre the fifty 'ear since I saw ye last,
An' I've heard your word at my gable-en',
When a happy bairn gaed singin' past.
But I didna ken that yours was the name,
That I've read in the paperie here the day,
Till there, in the brackets, clear I spied,
The name that ye got fae your chums at play.

It took my e'e on the printed page,
It loupit oot an' it seemed to shine,
I'd clean forgotten ye'd a proper name,
An' I'm winnerin' noo did ee ken mine?
Ye're awa' fae the braes noo barfit loon,
Ye're safe in a better port, aswarn,
Weel! Tell ee the Berthin-maister there,
That the rest o' the fleet's nae far astarn.

Name in Brackets: It is the fisher custom to include the deceased's nickname in the funeral intimations. Since there is such a proliferation of commonly shared Christian names and surnames this is the only method in which the community can identify with certainty which of their number has passed on. A nickname bestowed in childhood becomes the only name by which a man is known for the rest of his life.

The steam and the tar and the herrin' smell . . . .

The old North Harbour entrance — closed June 1974.

GLOSSARY

Many of the words used in the north-east of Scotland are colloquialisms and as such have no "correct" spelling. As far as possible they are printed as they sound, but pronunciation may vary from town to town.

A', aa . . . . all
Abeen . . . . above
Agley . . . . astray
Aiven-oot . . . . straight forward
Aise . . . . ashes
Aneth . . . . underneath
Antrin . . . . occasional
Ava . . . . at all
Bade . . . . dwelt
Bandy . . . . stickle-back, small fish
Barfit . . . . barefoot
Bark . . . . to soak nets in 'bark', a preservative solution
Basses . . . . rugs or mats
Beatin' a heuk . . . . lashing a hook to a line using fine thread
Beens . . . . bones
Begick . . . . a surprise or shock
Bents . . . . sand dunes
Bigsy . . . . conceited
Bile . . . . to boil
Billy . . . . to run the billy — During the East Anglian herring season a "billy" or notice was displayed in the windows of the fish salesmen in the home ports. This gave a daily report of the catches and boys ran round the crews' houses with the news, thus earning a few coppers.
Binder . . . . a far fetched story.
Birlin' . . . . whirling, spinning
Birn . . . . a load or burden
Birst . . . . a stroke caused by excitement
Black yarn . . . . empty nets
Brix . . . . breeks, trousers
Buchaner . . . . a native of Buchanhaven

Bummer	something very big
Caff	corn chaff
Caileag	(Gaelic) maiden
Canny	easy, careful, sheltered
Canny leethe	cosy shelter
Cark nor care	not a care in the world
Caul	cold
Cheese cutter	nautical cap
Chiel	fellow
Chyse	to choose
Claes	clothing
Clartit	daubed in a messy way
Clean gyte	off your rocker
Clinker biggit	built with planks overlapping
Clip	a long-handled gaff hook
Close, closs	alley, lane, backyard
Cowk	to choke or retch
Coggie	a small wooden tub
Collieshangie	to be as thick as thieves
Cone	gale-warning signal
Coorse	coarse, bad, wicked
Cratur	creature (used in endearment or pity)
Crack	news, gossip
Cranny	little finger
Cry tee	to call in, to make a flying visit
Curn	an indeterminate number
Cwite	a coat, an oilskin skirt
Cyard	to scold
Dally's cleysies	doll's clothing (diminutive)
	soft silky seaweed
Deeved	deafened
Deydie	grandfather
Dhan	flag buoy
Dicht	to wipe
Dirl	to rattle, resound or produce noise
	Note: fingers 'dirl' with cold
Dirler	chamber pot
Dock	backside
Docket	record of fish sales
Doup	backside

Dodge	to lie head-to-wind in bad weather
Dreich	dreary, bleak
Dubs	mud
Dunderheid	block-head
Dunt	a blow or knock
Dytit	stupid, stupefied
Een	one
Een	eyes
Eerin	a message, errand
Eerins	groceries, messages
Echt	to own
Eident	industrious
Eyvnoo	just now, at present
Fa' Faa	who?
Fa'	to fall
Fa' clyte	to fall heavily
Fae	from
Faar, far	where
Farlin	long wooden trough from which herrings were gutted
Fecht	to fight
Feel	daft, silly, a fool
Ferlie	a marvel
Fess .	to fetch or bring
Ficher	to fiddle around
Fill an' fess ben	super abundance (fill up and bring hither)
Fin	when: to feel or to find
Fit	what
Fit wye	how? why?
Fite	white
Fitt	foot or bottom
Flan	gust of wind
Fleer	floor
Fleet	to regain position by steaming against the tide.
Fluke	flat fish
Fooshion	energy
Forfochen	exhausted
Full-butt	full speed
Furl	to turn or whirl

Fussle . . . . to whistle
Futtle . . . . small knife for gutting herrings
Fyle . . . . a period of time
Fyowe . . . . few
Gab o' Mey .   cold spell in early May (annual)
Ganjey . . . . jersey
Gar . . . . to force or oblige
Gart me cowk . . . . made me choke
Gavle . . . . gable; end of a net
Gey . . . . rather, considerably
Gey sair made . . . . having difficulty
Gid . . . . went
Gied . . . . gave
Gie't the dicht . . . . give it the works
Ging . . . . to go
Gird . . . . a hoop
Girn . . . . to complain
Girss . . . . grass
Glaikit . . . . silly, affected
Glaur . . . . slime, mud
Govies! . . . . an exclamation
Govey Dicks! . . . . a cry of surprise
Gowk . . . . a silly ass
Grauvit . . . . scarf, cravat
Grun' . . . . ground
Gypit . . . . see "glaikit"
Gweed . . . . good
Gweed kens . . . . goodness knows!
Habber . . . . stutter or stammer
Hain . . . . to scrimp or conserve
Hairback . . . . Kersey, a kind of cloth
Hairst . . . . harvest
Hairse . . . . hoarse
Hale . . . . whole
Hantle . . . . a large amount
Happit . . . . covered, concealed
Harken . . . . to listen closely; to whisper
Heen . . . . had
Heuk . . . . a hook
Hirple . . . . to limp

115

Hist!	haste!
Hiz	us, ourselves
Hoast	cough
Hose	stockings
Hose an' sheen	exaggeration. lit. to give stockings and shoes
Howk	to dig
Hud	to hold, an obstruction on sea-bed
Hunkers	hips, backside
Huskle	"Haskell", a golf ball
Hyne	far (e.g., hine awa)
Ilka	each, every
Ill pairted	unfairly shared out
Ill shooken up	of poor physique
Ill trickit	mischievous
Jip	what for!
Jobby nickles	stinging nettles
Joog	mug, jug
Keep tee	to cope; to keep abreast
Ken	to know, to recognise
Kink-hoast	whooping cough
Kist	a chest
Kysie	a small cowrie shell
Lames	pieces of coloured glass or pottery
Lang heidit	brainy
Lantered	stranded; in the lurch
Lave	the others
Leethe	lee side, shelter
Leuch	laughed
Linner	flannel shirt
Lintie	a linnet
Lowes	flames
Lowrie	long steel hook for handling heavy fish
Lowse	to untie; to loosen
Lowsin'-time	knocking-off time
Maik	a half penny
Maikst	a half penny worth
Mait	food
Maneer	fuss
Marless	odd; not a pair

Mask	mesh
Mealick	a crumb
Meet the cat	to meet a run of bad luck
Megrim	a flat-fish of poor quality
Mirrles	measles
Mishauchled	deformed
Moggan	a purse; treasure; a removable woollen sleeve.
Most	old fisher term for mast
Moufu' tay	a drop of tea
Mowse	(always "nae mowse") — uncanny
Mull	mill
Neeper	neighbour, partner, the other fellow
Niv	fist
Nivver een!	not at all
Nott	required or needed
Oo	wool
Oo mull	woollen mill
Ootlin	the odd man out. the underprivileged one
Oot-win'	wind off the sea
Orra	shabby, disreputable
Orra drouth	drunken rascal
Oxter	bosom or armpit
Paiss aiggs	Easter eggs (coloured)
Partans	edible crabs
Pech	to pant
Peerie	a totum or spinning top
Peen	pane
Peety	pity
Picky	full of small holes
Pints	shoelaces
Pirn	cotton reel
Plowter	to potter around
Plunk	to conceal with the intention of recovering
Podly	small saithe
Pow	head
Protick	caper, prank
Puckle	an indeterminate amount
Puller	small crab good for bait

Queets .... ankles
Queenie Arabs .... folks who lived on Keith Inch
Quine .... girl
Quites .... oilskin skirts
Raivelt .... ravelled
Rax .... to stretch; to overtax
Redd .... to unravel
Redd-up .... to tidy up; to clean the nets
Reest .... to roast
Reid-een .... a red one; a new net
Reid fish .... salmon. The word "salmon" is taboo
Rick .... smoke
Riftin' .... belching
Rive .... to pull hard
Roas'en .... roasted or broiled
Rocky-on .... a cairn of stones built where incoming tide would surround it. The boy who stayed longest on the cairn won the game. A caper which was occasionally fatal
Roosin'-tub .... huge wooden tub in which herrings were salted.
Rug .... to pull
Rype .... to search (particularly pockets)
Rype up .... to trace someone's ancestry
Sair .... sore, painful, thoroughly
Sair made .... having difficulty
Saddler's pooder .... Siedlitz powder
Sappy dubs .... really wet mud
Sappy .... heavy in the water
Satchel .... bag (of dogfish)
Scalders .... stinging jellyfish
Scaph .... type of old sail-boat
Scaup .... Mussel bed where each family kept its bait alive and fresh.
Scattan .... (Gaelic)—herring
Scran .... to scrounge
Scoltit .... punished with the belt
Scunner .... disgust
Selvidge .... heavy border on a net
Shallie .... cup (of tea)

Sharn . . . . animal manure; cow-dung
Sheave . . . . slice (of bread)
Sheenikies . . . . double diminutive of "sheen"
Sheen . . . . shoes
Sheel . . . . to shell mussels
Shiel . . . . a scoop; to shovel
Shouder-the-win' . . . . with one shoulder higher than the other
Showd . . . . to swing; a child's swing
Shunners . . . . cinders
Shyve . . . . to throw out a line
Sic, siccan . . . . such
Siller . . . . money, silver
Sitt . . . . soot
Skelp . . . . to smack, a large area
Sloch (the) . . . . Portessie
Speir . . . . to ask
Speir at . . . . to question somebody
Speed . . . . better speed-more success
Speldin . . . . whiting salted and dried
Sma' water . . . . calm sea
Smored . . . . suffocated
Smaad . . . . blemish
Snicherin' . . . . sniggering
Sonsie . . . . buxom
Spells . . . . wood shavings
Spotty . . . . in small erratic shoals
Stashie . . . . uproar
Steek . . . . to close
Stoker . . . . tax free perks
Stoo . . . . to cut closely; to trim
Strick . . . . to strike
Striven . . . . fallen-out
Stue . . . . dust
Stumperts . . . . stilts
Sweir . . . . unwilling
Swipe . . . . a resemblance
Taarik . . . . Arctic Tern
Tabbie . . . . cigarette stub
Tak' sheet . . . . to bolt
Tak' a lump . . . . to ship a sea

Tapster	head o' the heap
Tartar	ill tempered woman
Tattie	potato
Teuch	tough
Teuchat	Lapwing, Plover
Teuchat storm	cold spell in early April
Teem	empty
Thartship lids	openings in deck to permit herrings to reach the hold
Throwe	through
Tig	tantrum
Tusk	fish resembling a ling
Tyauve	struggle
Tylie	a tailor
Warstle	to struggle, wrestle
Warrie codlin's	Codlings of a lovely reddish colour from the waur or tangles of their habitat
Warriedrag	useless sort of person
Washen	washed clean
Water cairt	horse drawn water tank for spraying dusty streets
Waur	tangle, sea-weed
Wecht	weight
Wyin' wechts	scales
Wid	would, wood
Wob	bolt of cloth, web
Wull	last will and testament
Wulks	winkles
Yakkie	Peterhead name for Eskimo (Yaqui) (A relic of whaling days)
Yirdit	filthy
Yoll	small boat
Yowl	yell